HENRI MITTERAND

agrégé de l'Université

adaptation
Daniel Poulin
professeur agrégé
Université Laval

ABC

de
grammaire
française

Cet ouvrage a reçu l'approbation
du ministère de l'Éducation pour
les écoles primaires et secondaires.

S0-CCJ-353

LES ÉDITIONS VILLE·MARIE

Chez le même éditeur :
PLURIGUIDES NATHAN/VILLE-MARIE :
- Dictionnaire pratique des faux frères
- Les accords parfaits
- Dictionnaire pratique de conjugaison

TOP (Toute l'orthographe pratique), Fernand Nathan, éditeur
INTRODUCTION PRATIQUE AUX DICTIONNAIRES

DISTRIBUTEURS EXCLUSIFS:

- Pour le Canada:
AGENCE DE DISTRIBUTION POPULAIRE INC.*
955, rue Amherst, Montréal H2L 3K4 (tél.: 514-523-1182)
*Filiale de Sogides Ltée

- Pour la France et l'Afrique:
INTER-FORUM
13, rue de la Glacière, 75013 Paris (tél.: 570-1180)

- Pour la Belgique, la Suisse, le Portugal, les pays de l'Est:
S.A. VANDER
Avenue des Volontaires, 321, 1150 Bruxelles (tél.: (32-2) 762.98.09)

Maquette de la couverture : Katherine Sapon
ISBN 2-89194-065-2
Dépôt légal, 4e trimestre 1982, Ottawa et Québec.
© Les Éditions Ville-Marie Inc., 1982.

AVANT-PROPOS

Cette Grammaire du français vivant a été composée avec le souci d'aller à l'essentiel, mais aussi de fournir aux lecteurs des procédés de classement et des explications qui leur permettent de prendre une vue précise et claire du fonctionnement de notre langue.

Nous avons insisté en particulier sur la valeur des adjectifs déterminatifs, la formation (orthographique) et l'emploi des temps et des modes du verbe, l'usage des prépositions et des adverbes, les mécanismes de la phrase complexe. Nous avons donné les indications indispensables sur les expressions toutes faites, et nous avons regroupé les formes, autant que possible, dans des tableaux systématiques. On consultera en particulier, à la fin du livre, les tableaux de conjugaison, qui constituent un véritable petit dictionnaire des verbes français.

Les exemples sont des phrases de conversation courante.

H.M.

En plus de s'adresser au grand public comme *Grammaire de poche*, ce manuel vise tout particulièrement les élèves du cours secondaire et ceux de la dernière année du cours primaire.

Dans le nouveau « **PROGRAMME D'ÉTUDE, FRANÇAIS LANGUE MATERNELLE** » au secondaire, il est proposé que l'élève soit progressivement amené à utiliser divers dictionnaires (usuels, de synonymes, d'antonymes), des grammaires et d'autres manuels traitant de l'utilisation de la langue et des discours, tel les divers lexiques et guides spécialisés (exemple : guide de la correspondance). La capacité de recourir à ces outils, le cas échéant, amènera l'élève à connaître le type de renseignement qu'ils fournissent, la façon dont ces renseignements sont organisés et, s'il y a lieu, le système de référence utilisé (exemple : table des matières, index) ».

Au primaire, pour les élèves de 6e année, sous la rubrique **REPÉRAGE D'INFORMATION ORTHOGRAPHIQUE,** il est dit qu'*« au fur et à mesure que les écoliers verbalisent leurs connaissances en orthographe grammaticale, leur fournir la formulation verbale donnée dans une grammaire, leur expliquer et leur montrer comment la retrouver »*. Le programme souligne que cette activité doit se poursuivre au secondaire.

Nous croyons que l'**ABC DE GRAMMAIRE FRANÇAISE** répond à ces exigences des nouveaux programmes de français.

D.P.

LE GROUPE NOMINAL

GÉNÉRALITÉS

*Le **groupe nominal** est un groupe de mots construits autour d'un **nom**, et qui comprend, en plus du nom et de ses déterminants immédiats (**article**, **adjectif déterminatif**), d'autres mots ou groupes de mots qui complètent le sens du nom (**adjectifs quali-ficatifs**, **compléments** introduits par une préposition, propositions relatives).*

Exemples de groupes nominaux :
    le fauteuil
    le fauteuil de ma mère
    le petit fauteuil rouge où ma mère aime s'asseoir.

Les chapitres qui suivent étudient successivement chacun des éléments qui composent le groupe nominal, *sauf la proposition relative, qui est étudiée à propos de la phrase (ci-dessous, p. 118).*

I. LE NOM

*Le nom est un mot qui désigne une personne (ex. **enfant**), un animal (ex. **chat**), ou une chose (ex. **maison**).*

 NOM COMMUN ET NOM PROPRE

1 LE NOM COMMUN désigne une personne, un animal, ou une chose dont il existe beaucoup d'exemples :
Un enfant - un chien - une voiture.
Exceptions : *Le soleil - la lune.*

A noter : Le nom commun commence par une minuscule.

2 LE NOM PROPRE désigne une personne, un animal, ou une chose qui sont seuls de leur espèce : *Mon ami Jean - mon chien Bobby - le Pont de Québec.*
Les noms d'identité (*Monsieur Durand, Madame Martin*), les noms de villes (*Montréal*), de pays (*Le Mexique*), de fleuves (*le Saint-Laurent*), de montagnes (*les Laurentides*), de monuments, etc., sont des noms propres.

A noter : Le nom propre commence par une majuscule.

B *NOM SIMPLE ET NOM COMPOSÉ*

1 LE NOM SIMPLE consiste en un seul mot :
Nom commun simple : *fleur.*
Nom propre simple : *François.*

2 LE NOM COMPOSÉ est un nom constitué de plusieurs mots :
Nom commun composé : *chou-fleur, va-et-vient.*
Nom propre composé : *Saint-Maurice, Jean-François.*

A noter : Les mots qui forment un nom composé sont souvent réunis par un trait d'union.

Ⓒ *GENRE ET NOMBRE DU NOM*

■ LE GENRE

a) **Définition :**

Chaque nom possède un genre. Il est masculin ou féminin. Le genre se reconnaît à la forme de l'article (*le* ou *un*, pour le masculin. Ex. *Le ciel - un toit*; *la* ou *une*, pour le féminin. Ex. *La maison - une rivière*).

Pour les noms de choses, le masculin et le féminin sont répartis au hasard. Dans ce cas, chaque nom n'a qu'un seul genre, masculin ou féminin.

> *Le soleil,* mais *la lune.*
> *Un banc,* mais *une table.*
> *Mon stylo,* mais *ma plume,* etc...

Pour les êtres vivants, le nom du mâle est masculin, celui de la femelle est féminin. Dans ce cas, certains noms ont les deux genres, le masculin et le féminin :

Un *chat*	une *chatte.*
Un *lion*	une *lionne.*
Un *renard*	une *renarde.*
Un *éléphant*	une *éléphante.*

Souvent, les noms d'êtres (animés) diffèrent pour désigner le mâle ou la femelle :

Un garçon	*une fille.*
Un coq	*une poule.*
Un père	*une mère.*

Pour beaucoup de noms d'animaux au masculin, qui n'ont pas de nom féminin correspondant, on ajoute : femelle. Ex. *Une girafe mâle - une girafe femelle.*

b) **La formation du féminin des noms qui ont les deux genres :**

1 - Les noms terminés au masculin par *e* ne changent pas au féminin :

Masc. *un élève*	fém. *une élève.*
Masc. *un camarade*	fém. *une camarade.*

2 - En général, on forme le féminin, dans l'orthographe, en ajoutant *e* au masculin :

Masc. *un ami*	fém. *une amie.*
Masc. *un marchand*	fém. *une marchande.*
Masc. *un commerçant*	fém. *une commerçante.*

3 - Un grand nombre de noms forment leur féminin par transformation de la syllabe finale, en plus de l'adjonction de l'*e*. Voici les principaux cas :

Masculin	Féminin	Transformation
un boucher ➜ *une bouchère*	*er* ➜ *ère*
un épicier	*une épicière*	*ier*	*ière*
un prince	*une princesse*	*e*	*esse*
un chameau	*une chamelle*	*eau*	*elle*
un colonel	*une colonelle*	*el*	*elle*
un paysan	*une paysanne*	*an*	*anne*
un chien	*une chienne*	*ien*	*ienne*
un lion	*une lionne*	*on*	*onne*
un voisin	*une voisine*	*in*	*ine*
un voleur	*une voleuse*	*eur*	*euse*
un acteur	*une actrice*	*teur*	*trice*
un veuf	*une veuve*	*f*	*ve*
un loup	*une louve*	*p*	*ve*
un époux	*une épouse*	*x*	*se*

2 LE NOMBRE

a) Définition :
Quand le nom désigne un seul être ou une seule chose, il est au singulier. Quand il désigne plus d'un être ou plus d'une chose, il est généralement au pluriel.

b) La formation du pluriel des noms simples :
En général, on ajoute un *s* à la forme du singulier :

Sing. *un chat*	plur. *des chats.*
Sing. *une fille*	plur. *des filles.*

Mais il existe plusieurs exceptions à cette règle générale :

1 - Les noms terminés au singulier par *-al* forment leur pluriel en *-aux* :
> Un cheval - des chevaux.

7 noms en *-al* forment cependant leur pluriel en *-als* : *bal - carnaval - chacal - corral - festival - récital - régal.*

2 - 7 noms terminés au singulier par *-ail*, forment leur pluriel en *-aux* : *bail - corail - émail - soupirail - travail - vantail - vitrail.*
> Ex. *Un corail - des coraux.*

3 - Les noms terminés au singulier par *-au*, *-eau*, *-eu*, prennent un *x* au pluriel :
> *Un tuyau*   *des tuyaux.*
> *Un seau*   *des seaux.*
> *Un jeu*   *des jeux.*

4 - 7 noms terminés au singulier par *-ou*, prennent un *x* au pluriel : *bijou - caillou - chou - genou - hibou - joujou - pou.*
> Ex. *Un caillou - des cailloux.*

5 - Les noms terminés au singulier par *s, x, z,* ne changent pas au pluriel :
> *Une souris*   *des souris.*
> *Un prix*   *des prix.*
> *Un nez*   *des nez.*

c) **La formation du pluriel des noms composés :**

Les noms composés d'un nom et d'un adjectif prennent un *s* à la fin de chacun des mots composants : *un coffre-fort, des coffres-forts.*

Si l'un des mots composants est un nom complément de l'autre mot composant, il reste invariable : *un timbre-poste, des timbres-poste.*

Le verbe, la préposition et l'adverbe sont invariables : *un passe-partout, des passe-partout.*

Pour former à coup sûr le pluriel des mots composés, il faut analyser la nature et la fonction des mots composants, et leur appliquer les règles qui gouvernent les mots simples. Mais le recours au dictionnaire est souvent indispensable.

D *LES FONCTIONS DU NOM*

Le nom peut avoir plusieurs fonctions :
La fonction *sujet*.
La fonction *attribut*.
La fonction *complément*.
La fonction *apposition*.
La fonction *apostrophe*.

1 LA FONCTION SUJET :

Le nom qui est *sujet* d'un verbe indique *qui fait l'action* exprimée par le verbe.

a) **Recherche du sujet :** on pose une question à l'aide de : *qui est-ce qui,* devant le verbe.
Mon frère monte dans une voiture.
Question : *Qui est-ce qui monte dans une voiture?*
Réponse : *Mon frère.*
Le sujet du verbe est : ***mon frère.***

b) **Accord.** Le sujet commande l'accord du verbe en personne et en nombre.

* Lorsque le verbe a pour sujet un nom ou un groupe nominal au singulier, il se met au singulier.
L'ouvrier a fini son travail.

* Lorsque le verbe a pour sujet un nom ou un groupe nominal au pluriel, il se met au pluriel.
Les ouvriers ont fini leur travail.

* Lorsque le verbe a plusieurs sujets, même si ceux-ci sont au singulier, il se met au pluriel.
Mon frère et son petit camarade se sont mis à jouer.

* Inversement, lorsque plusieurs verbes ont un seul et même sujet, ils demeurent au singulier.
Le menuisier scie, rabote et cloue pendant toute la journée.

c) **Place du groupe nominal sujet :** le plus souvent avant le verbe, mais certaines sortes de constructions de phrases exigent une inversion du sujet, qui se place alors après le verbe :
Aimez-vous les fruits? (voir le chapitre sur l'interrogation, ci-dessous, pp. 112-113).

11

L'inversion est parfois facultative :
> *J'achète volontiers les fruits que ces marchands vendent.*

ou   *J'achète volontiers les fruits que vendent ces marchands.*

2 LA FONCTION ATTRIBUT :

Le nom peut être **attribut** d'un autre nom. Il lui est relié par l'intermédiaire du verbe *être*, ou des verbes *paraître, sembler, devenir, s'appeler, être appelé,* etc. et il indique **un état, une qualité** de l'être ou de la chose que désigne le groupe sujet.
> *Ces enfants sont mes voisins.*
> *La musique est devenue mon plaisir favori.*
> *Mon chien s'appelle Médor.*

Accord : Le nom attribut s'accorde en nombre avec le nom auquel il se rapporte.
> *La musique et la danse sont ses plaisirs favoris.*

3 LA FONCTION COMPLÉMENT :

Le nom peut être **complément** d'un verbe, ou d'un autre nom, ou d'un adjectif, dont il sert à compléter le sens.

a) **Le nom, complément d'un verbe.**
Pour reconnaître l'espèce de complément dont il s'agit, on examine quelle est la question qui peut être posée après le verbe :

1º **Complément d'objet direct** (question **qui? quoi?**) : il indique ce qui supporte l'action exprimée par le verbe.
> *Jean mange son gâteau.*

Question : *Jean mange quoi?*
Réponse : *son gâteau.*
Son gâteau est le complément d'objet direct du verbe *mange.*

2º **Complément d'objet indirect** (question **à qui? à quoi? de qui? de quoi?**).
> *Josette pense souvent à son père.*

Question : *Josette pense à qui?*
Réponse : *à son père.*
Son père est le complément d'objet indirect de *pense.*
Le complément d'objet indirect est introduit par les prépositions *à* ou *de.*

3° **Le complément d'attribution** (question **à qui?**) indique la personne pour qui est faite l'action exprimée par le verbe.

Jacques a offert des fleurs à sa mère.

Question : *Jacques a offert des fleurs à qui?*

Réponses : *à sa mère.*

Sa mère est le complément d'attribution de : *a offert.*

Le complément d'attribution est introduit par les prépositions *à* ou *pour.*

4° **Compléments circonstanciels :** Ils indiquent les circonstances de l'action exprimée par le verbe. Les principaux sont :

* Complément circonstanciel de lieu (question **où? par où? d'où?**).

Je me promène dans le jardin.

Tu iras bientôt au bord de la mer.

Il est passé par Rimouski.

Il revient de la campagne.

Le complément circonstanciel de lieu est introduit par les prépositions *à, dans, par, sur, sous, en,* etc.

* Complément circonstanciel de temps (question **quand? depuis quand? combien de temps?** etc.).

L'année dernière, nous avons changé d'appartement.

Je ne l'avais pas revu depuis trois ans.

Il est resté absent pendant cinq semaines.

Le complément circonstanciel de temps est introduit sans préposition, ou par les prépositions *en, dans, depuis, pendant, jusqu'à.*

* Complément circonstanciel de manière et de moyen (question **comment?**).

Il m'a accueilli avec joie.

Je suis revenu en voiture.

Nous repartirons par le train.

Le complément circonstanciel de manière est introduit par les prépositions *avec, en, par.*

* Complément circonstanciel de cause (question **pourquoi?**).

Il a agi ainsi par ennui.

Il a dû travailler pendant les vacances à cause de son échec à l'examen.

Le complément circonstanciel de cause est introduit par les prépositions *par,* ou *à cause de.*

b) **Le nom, complément d'un autre nom :**

Quand deux noms sont réunis par une préposition, le deuxième est le complément du premier :

>*Le livre de mon camarade.*
>*Les jouets des enfants.*
>*La boîte à craie.*
>*Une voiture à trois vitesses.*

Les prépositions les plus employées pour introduire le complément de nom sont *à* et *de*.

c) **Le nom, complément d'un adjectif :**

Quand un adjectif est suivi d'un nom introduit par une préposition, le nom est le complément de l'adjectif, dont il précise le sens :

>*Le seau est plein d'eau.*
>*Jacques est toujours content de sa voiture.*
>*Un élève fort en calcul.*
>*Un soldat dédaigneux du danger.*

▌4▐ LA FONCTION APPOSITION :

Un nom *en apposition*, c'est-à-dire placé à côté d'un autre nom, peut servir à indiquer un aspect particulier de l'être ou de l'objet désigné par le premier nom.

>*Québec, capitale de la province.*
>*L'électricité, principale ressource énergétique du Québec.*

▌5▐ LA FONCTION APOSTROPHE :

Un nom *en apostrophe*, c'est-à-dire placé en tête de phrase, et suivi d'un point d'exclamation, peut servir pour appeler ou invoquer un être :

>*Garçon! Apportez-moi un verre de lait.*

II. LES ARTICLES

Le nom ne peut pas, le plus souvent, être employé seul. Il doit être accompagné d'un article *ou d'un* adjectif déterminatif, *qui en précise l'emploi.*
Il y a trois sortes d'articles :

 A *L'ARTICLE DÉFINI*

1 FORMES :

Le : masculin singulier	le *chien.*
La : féminin singulier	la *maison.*
Les : masculin ou féminin pluriel	les *chiens.* les *maisons.*

A noter :
Formes élidées :
Devant un nom commençant par une voyelle ou un *h* muet, *le* et *la* prennent la forme *l'* :
L'âne - l'orange - l'habitude.

Formes contractées :
Au lieu d'employer *à le, *à les, on emploie *au, aux*; et au lieu de *de le, *de les, on emploie *du, des.*
Je vais au *marché.*
Je pense aux *amis que j'ai quittés.*
La couverture du *livre.*
Les toits des *maisons.*

Dans l'analyse grammaticale, on indiquera la nature, la forme, le genre et le nombre de l'article, et le nom auquel il se rapporte. Ex. *Je vais au marché : Au,* article défini contracté, masculin singulier, se rapporte au nom *marché.*

2 EMPLOI :

On emploie *le, la, les,* devant un nom qui désigne **un être ou un objet bien connus**. Le plus souvent, le nom est suivi de compléments qui précisent l'identité de l'être ou de l'objet désignés :
Le *chien de mon ami.*
Les *livres que tu m'as prêtés.*

B L'ARTICLE INDÉFINI

1 FORMES :

Un : masculin singulier   un *chien*.
Une : féminin singulier   une *maison*.
Des : masculin ou féminin   des *chiens*.
     pluriel   des *maisons*.

2 EMPLOI :

On emploie **un, une, des,** devant un nom qui désigne **un être ou un objet dont on ne précise pas l'identité**. Le nom est généralement employé sans compléments.

Un *chien a traversé la rue* (un chien que je ne connais pas).
Il a acheté des *livres* (toutes sortes de livres, dont je n'indique pas avec précision la nature).

Même modèle d'analyse que pour l'article défini.

C L'ARTICLE PARTITIF

1 FORMES :

Du : masculin singulier   du *beurre*.
De la : féminin singulier   de *la farine*.
Des : masculin ou féminin   des *confitures*.
     pluriel

2 EMPLOI :

On emploie **du, de la, des,** devant un nom désignant **une matière dont on peut détacher une certaine quantité**.

Je coupe du *pain*.
J'achète du *beurre*.
Prendras-tu des *confitures?*

Même modèle d'analyse que pour les précédents.

Dans une phrase négative, *du, de la, des* sont remplacés par *de* :

Je ne mange pas de *pain*.

III. LES ADJECTIFS DÉTERMINATIFS

On emploie les **adjectifs déterminatifs** *à la place des articles, devant le nom, pour indiquer de manière encore plus précise l'identité ou l'appartenance de l'être ou de l'objet désignés.*
Il y a plusieurs sortes d'adjectifs déterminatifs :

Ⓐ L'ADJECTIF DÉMONSTRATIF

▮ FORMES :

Ce, cet : masculin singulier. Ce *chien.*
Cet *homme.*

(*Ce,* devant un nom masculin commençant par une consonne ou un *h* aspiré; *cet* devant un nom masculin commençant par une voyelle ou un *h* muet.)

Cette : féminin singulier.   Cette *maison.*
Ces : masculin ou féminin   Ces *chiens*
pluriel.   Ces *maisons.*

Accord : l'adjectif démonstratif s'accorde en genre et en nombre avec le nom qu'il précède et auquel il se rapporte.

▮ EMPLOI :

On emploie l'*adjectif démonstratif* pour indiquer que l'être ou l'objet qui est désigné par le nom se trouve tout près, et qu'*on pourrait le montrer :*

Donnez à boire à ce *chien* (qui est là, devant nous).
Venez me voir cet *après-midi* (aujourd'hui).

Analyse : ce, adjectif démonstratif, masculin singulier, se rapporte au nom *chien.*

L'adjectif démonstratif peut être renforcé par les particules adverbiales *-ci* et *-là.*

Venez me voir cette *semaine-ci et non pas la semaine prochaine.*
Ce *soir-là, il était arrivé en retard.*

B *L'ADJECTIF POSSESSIF*

1 FORMES :

Référence	Formes	Personne	Genre et nombre	Sens	Exemple
Un seul possesseur	*Mon* *Ton* *Son*	1re pers. 2e pers. 3e pers.	masculin singulier	Un seul objet possédé	*Mon chien*
	Ma *Ta* *Sa*	1re pers. 2e pers. 3e pers.	féminin singulier		*Ma maison*
	Mes *Tes* *Ses*	1re pers. 2e pers. 3e pers.	masculin ou féminin pluriel	plusieurs objets possédés	*Mes livres*
Plusieurs possesseurs	*Notre* *Votre* *Leur*	1re pers. 2e pers. 3e pers.	masculin ou féminin singulier	Un seul objet possédé	*Notre maison*
	Nos *Vos* *Leurs*	1re pers. 2e pers. 3e pers.	masculin ou féminin pluriel	Plusieurs objets possédés	*Vos livres*

Accord : l'adjectif possessif s'accorde en personne avec le possesseur, en genre et en nombre avec le nom qu'il précède et auquel il se rapporte (désignant l'objet possédé).

Exception : Si le nom est au féminin et commence par une voyelle ou un *h* muet, on emploie *mon, ton, son,* au lieu de *ma, ta, sa* :

Ma *pomme,* mais mon *orange.*

2 **EMPLOI :**

On emploie l'*adjectif possessif* pour indiquer *à qui appartient*
l'être ou l'objet désigné par le nom :

Mon *chien* (le chien m'appartient ; il est *à moi*).
Ton *chien* (le chien t'appartient ; il est *à toi*).
Son *chien* (le chien lui appartient ; il est *à lui* ou *à elle*).
Notre *chien* (le chien nous appartient, il est *à nous*).
Votre *chien* (le chien vous appartient, il est *à vous*).
Leur *chien* (le chien leur appartient ; il est *à eux* ou *à elles*).

On voit que l'adjectif possessif est en rapport avec le pronom
personnel.

Analyse : J'ai cassé ma *montre.*

Ma : adjectif possessif, première personne du singulier,
féminin singulier, se rapporte à montre.

Leur *Maison a été démolie.*

Leur : adjectif possessif, troisième personne du pluriel,
féminin singulier, se rapporte à maison.

C *LES ADJECTIFS INDÉFINIS*

On les emploie à la place de l'article indéfini singulier *un, une,*
ou de l'article indéfini pluriel, *des*, avec des valeurs particulières
selon les formes :

1 **LES ADJECTIFS DE SINGULARITÉ INDÉFINIE** (substituables à *un*).

a) **Formes :**

– *Quelque,* masculin ou féminin singulier	Quelque *livre* Quelque *maison.*
– *Certain* ou *un certain* masculin singulier	Certain *garçon* Un certain *garçon.*
Certaine ou *une certaine* féminin singulier	Certaine *fille* Une certaine *fille.*
– *N'importe quel* masculin singulier	N'importe quel *travail.*
N'importe quelle féminin singulier	N'importe quelle *besogne.*

b) **Emploi :**

1 - On emploie *quelque* surtout dans les phrases interrogatives ou dans les propositions à valeur éventuelle, devant un nom désignant **un être ou un objet dont on ne saurait préciser l'identité ou la nature exacte :**
> *N'as-tu pas* quelque *livre à me prêter?*
> *J'aimerais bien trouver* quelque *maison à acheter.*

2 - Il arrive qu'on emploie *certain*, *certaine*, à la place de *un, une,* pour augmenter la valeur indéfinie du substantif, tout en sous-entendant qu'on pourrait le désigner avec plus de précision :
> *Un* certain *garçon de ma connaissance.*

3 - On emploie *n'importe quel*, *n'importe quelle*, à la place de *un,* pour indiquer qu'il s'agit d'un être ou d'un objet quelconque pris dans une espèce :
> *Prenez dans le garage* n'importe quelle *voiture et venez vite.*

2 **LES ADJECTIFS DE PLURALITÉ INDÉFINIE** (substituables à *des*).

a) **Formes :**
- **— *Quelques,*** masculin ou féminin pluriel   Quelques *garçons* Quelques *filles.*
- **— *Certains,*** masculin pluriel   Certains *garçons*
  — *Certaines,* féminin pluriel   Certaines *filles.*
- **— *Plusieurs,*** masculin ou féminin pluriel   Plusieurs *garçons* Plusieurs *filles.*
- **— *Tous les,*** masculin pluriel
  — *Toutes les,* féminin pluriel

b) **Emploi :**

1 - On emploie *quelques* avec le sens de : **un petit nombre de**, devant un nom désignant des êtres ou des objets dont on ne précise pas l'identité :
> Quelques *personnes m'ont déjà raconté cette histoire.*

2 - On emploie *plusieurs*, également avec le sens de : **un petit nombre de**, mais pour insister sur le fait qu'il s'agit de plus d'un être ou d'un objet.
> *J'aimerais recueillir* plusieurs *avis sur cette question.*

3 - On emploie **certains** avec la même valeur indéfinie, pour désigner également **un petit nombre d'êtres ou d'objets**, mais en sous-entendant qu'on pourrait préciser leur identité.

Certaines *personnes* [que je pourrais nommer] *m'ont déjà raconté cette histoire.*

4 - On emploie **tous les** (ou **tous ces, tous mes,** etc.), pour indiquer **la totalité** d'un ensemble d'êtres ou de choses :

Elle a réuni toutes ses *amies pour fêter son anniversaire.*

3 LES ADJECTIFS DE LA QUANTITÉ NULLE.

a) **Formes :**
- **Aucun,** masculin singulier   Aucun *homme*
  Aucune, féminin singulier   Aucune *femme.*
- **Pas un,** masculin singulier   Pas un *homme*
  Pas une, féminin singulier   Pas une *femme.*
- **Nul,** masculin singulier   Nul *homme*
  Nulle, féminin singulier   Nulle *femme.*

b) **Emploi :**
On emploie **aucun, pas un,** pour indiquer **la quantité zéro :**

Je n'ai vu aucun *film ce mois-ci.*
Je n'ai pas *vu* un *film ce mois-ci.*

Nul a le même sens, mais est beaucoup moins employé.

4 LES ADJECTIFS DISTRIBUTIFS.

a) **Formes :**
- **Chaque,** masculin et féminin   Chaque *élève*
  singulier
- **Tout,** masculin singulier   Tout *élève.*
  Toute, féminin singulier   Toute *élève.*

On emploie **chaque, tout** ou **toute,** toujours au singulier, devant un nom qui désigne **un être ou un objet pris comme partie d'un ensemble,** et dans les phrases qui expriment l'idée de distribution ou de répartition :

Vous donnerez un livre à chaque *élève.*
Vous donnerez une récompense à tout *élève qui aura obtenu une bonne note.*

5 L'ADJECTIF INTERROGATIF OU EXCLAMATIF.

a) **Formes :**

— **Quel,** masculin singulier	Quel *livre?*
	Quel *livre!*
— **Quelle,** féminin singulier	Quelle *maison?*
	Quelle *maison!*
— **Quels,** masculin pluriel	Quels *garçons?*
	Quels *garçons!*
— **Quelles,** féminin pluriel	Quelles *filles?*
	Quelles *filles!*

b) **Emploi :**
On emploie *quel, quelle, quels, quelles,* dans une phrase d'intonation interrogative (ton montant), ou terminée par un point d'interrogation, devant un nom désignant *l'être ou l'objet sur l'identité duquel on pose une question* :
> Quelle *maison habitez-vous?*

On emploie *quel* dans une phrase d'intonation exclamative (ton descendant et accent fort sur *quel*), ou terminée par un point d'exclamation, devant un nom désignant *l'être ou l'objet sur lequel porte l'exclamation* :
> Quel *merveilleux accueil vous nous avez fait!*

6 LES ADJECTIFS NUMÉRAUX.

On en distingue deux espèces principales :

a) **Les adjectifs numéraux cardinaux : *zéro, un, deux, trois, quatre... cent... mille... etc.***

1 - *Formes :*

Ils sont invariables, sauf *quatre-vingts,* et *deux cents, trois cents, quatre cents,* etc. Lorsque *vingt* ou lorsque le chiffre des centaines est suivi d'un chiffre de dizaine ou d'unité, *vingt* et *cent* demeurent invariables.
> *Il y a dans cette ferme* quatre-vingts *vaches et* deux cents *poules.*

mais *Il y a dans cette ferme* quatre-vingt-cinq *vaches et* deux cent vingt *poules.*

2 - *Emploi* :

Ils peuvent s'employer sans article ni autre adjectif déterminatif, ou, au contraire, précédés de l'article défini, ou de l'adjectif
possessif ou de l'adjectif démonstratif. Dans les deux cas ils
indiquent le nombre.

Ce livre a trois cent cinquante *pages.*

J'ai trouvé trois *erreurs dans les* trois cent cinquante *pages
de ce livre.*

Mes trois *chemises de laine sont déchirées.*

Le numéral cardinal peut s'employer comme **nom de nombre**,
dans les calculs :

Quatre *et* quatre *font* huit.

Il peut également s'employer comme **pronom**, avec un nom
antécédent :

Des trois meilleurs camarades d'enfance de mon père, deux *sont
agriculteurs, le troisième est commerçant.*

b) **Les adjectifs numéraux ordinaux** : *premier, deuxième, troi-sième, quatrième, centième, millième,* etc.

1 - *Formes* :

Ils sont formés avec *-ième*, ajouté à l'adjectif numéral cardinal
correspondant (sauf pour **premier**, **second**).

Ils se placent généralement entre l'article (ou l'adjectif possessif
ou démonstratif), et le substantif.

Ils s'accordent en genre et en nombre avec le substantif auquel
ils se rapportent.

Montez au deuxième *étage et frappez à la* première *porte à
gauche.*

2 - *Emploi* :

Ils servent à indiquer le **rang**, la **place** dans une série.

A son troisième *essai, il a réussi.*

A noter : Pour indiquer une date, une page, un numéro, on
emploie l'adjectif numéral cardinal, et non pas l'adjectif numéral
ordinal :

Nous partirons le deux *juin.*

Ouvrez votre livre à la page trente-huit.

Henri Quatre, *Louis* Quatorze, *Napoléon* Trois (mais :
Napoléon Premier).

IV. L'ADJECTIF QUALIFICATIF

L'adjectif qualificatif indique une qualité de la personne, de l'animal ou de la chose dont on parle : un enfant **joueur**, une **belle** maison. *Il se rapporte au nom.*

A ACCORD

1 Il s'accorde en genre et en nombre avec le nom auquel il se rapporte :

Un beau *livre*   *une* belle *fleur.*
De beaux *livres*   *de* belles *fleurs.*

2 Lorsqu'il se rapporte à plusieurs noms du même genre, il prend le genre de ces noms et se met au pluriel :

Une chemise et une veste blanches.

3 Lorsqu'il se rapporte à plusieurs noms de genres différents, il se met au masculin pluriel :

Un petit garçon et une petite fille très gentils.

4 Cas particulier. Les adjectifs de couleur.

Lorsque l'adjectif de couleur a pour origine un nom, ou est suivi d'un second adjectif, il reste invariable :

Une robe citron *; une robe* vert foncé.

5 Cas particulier. Les adjectifs composés.

Lorsque les deux qualités s'ajoutent, les deux adjectifs prennent le -s du pluriel :

Deux enfants sourds-muets.

Lorsqu'un adjectif complète l'autre comme le ferait un adverbe, il reste invariable, mais le second adjectif prend l'accord :

Des danseuses court-vêtues.

B LA FORMATION DU FÉMININ

1 En général, on forme le féminin, dans l'orthographe, en ajoutant un -*e* au masculin. Les masculins en -*e* restent invariables :

Petit   petite.
Sage   sage.

2 Mais il arrive que le passage au féminin entraîne des transformations secondaires. En voici les principales sortes :

a) Accent grave sur la syllabe précédente :
Léger   légère
Complet   complète (de même : *concret, désuet, discret, inquiet, replet, secret*).

b) Redoublement de la consonne graphique précédant le -*e* :
-*eil* → -*eille*   pareil → pareille
-*el* → -*elle*   habituel → habituelle
-*et* → -*ette*   coquet → coquette
-*ien* → -*ienne*   ancien → ancienne
-*on* → -*onne*   bon → bonne
-*s* → -*sse*   bas → basse (de même : *épais, gras, gros, las*).

c) Altération de la syllabe graphique précédant le -*e* :
-*eur* → -*euse*   voleur → voleuse
-*eux* → -*euse*   heureux → heureuse
-*eau* → -*elle*   nouveau → nouvelle
-*ou* → -*olle*   fou → folle
-*c* → -*que*   public → publique
-*c* → -*che*   sec → sèche

d) Suffixe spécial :
-*teur* → -*trice*   directeur → directrice
-*eur* → -*eresse*   vengeur → vengeresse

e) Cas particuliers :
Doux → douce.
Faux → fausse.
Frais → fraîche.
Long → longue.
Roux → rousse.
Vieux → vieille.

etc.

25

C *LA FORMATION DU PLURIEL DE L'ADJECTIF QUALIFICATIF*

1 En général, on ajoute un *-s* à la forme du singulier :

Petit	*petits.*
Petite	*petites.*

2 Mais il existe plusieurs exceptions :

a) **Les adjectifs en -al** forment leur masculin pluriel en *-aux* : *minéral minéraux.* Il existe cependant 7 pluriels en *-als* : *bancal, fatal, final, glacial, idéal, (-s* ou *-aux), natal, naval.*

b) **Les adjectifs en -eau** forment leur masculin pluriel en *-eaux* :

nouveau	*nouveaux.*

c) **Les adjectifs terminés par -s et -x** demeurent invariables au masculin pluriel : ex. *épais, peureux.*

D *PLACE ET FONCTION*

1 ADJECTIF ÉPITHÈTE :

Lorsque l'adjectif qualificatif est placé immédiatement à côté du nom, on dit qu'il est *épithète* du nom. ***Sa place la plus fréquente est après le nom,*** mais un certain nombre d'adjectifs qualificatifs peuvent se trouver avant le nom :

Un enfant intelligent *et* travailleur.

Une agréable *soirée.*

Certains adjectifs changent de sens selon leur place :

Un repas maigre (sans viande).

Un maigre *repas* (peu abondant).

2 ADJECTIF ATTRIBUT :

Lorsque l'adjectif qualificatif est relié au nom par les verbes ***être, sembler, devenir, rester, demeurer,*** ou encore par un verbe comme **rendre**, on dit qu'il est ***attribut*** (attribut du sujet ou attribut du complément d'objet) :

Jean est malade *depuis trois mois.*

Cet échec a rendu Jeanne très malheureuse.

26

3 ADJECTIF EN APPOSITION :

Lorsque l'adjectif qualificatif est séparé du nom auquel il se rapporte par une virgule, ou lorsqu'il précède le nom et son article on dit qu'il est *en apposition* au nom :

Le papillon, rapide *et* gracieux, *vole au-dessus des fleurs.*
Rapide *et* gracieux, *le papillon vole au-dessus des fleurs.*

E *LES DEGRÉS DE SIGNIFICATION - COMPARATIF et SUPERLATIF :*

La qualité exprimée par l'adjectif qualificatif peut être marquée comme *positive (gentil)*, *comparative (plus gentil - aussi gentil - moins gentil - le plus gentil - le moins gentil)* ou *superlative (très gentil)*.

1 LE COMPARATIF : Il sert à exprimer la *comparaison.*

a) **Le comparatif simple :**

1 - *Formes :*
Il est marqué par les tournures :
plus + *adjectif* + *que* (comparatif simple de *supériorité*).
aussi + *adjectif* + *que* (comparatif simple d'*égalité*).
moins + *adjectif* + *que* (comparatif simple d'*infériorité*).

2 - *Emploi :*
L'adjectif qualificatif employé au comparatif simple sert à comparer deux êtres ou deux objets du point de vue de la même qualité :

Pierre est plus gentil *que Paul.*

Il peut aussi servir à comparer deux qualités différentes du même être ou du même objet :

Pierre est plus intelligent *que travailleur.*

A noter : Certains adjectifs qualificatifs ont une forme particulière pour le comparatif de supériorité :

Bon	→ *meilleur* (que)	(on ne peut pas dire : ✳ *plus bon*).
Mauvais	→ *pire* (que)	(mais on peut dire : *plus mauvais*).
Petit	→ *moindre*	(mais on peut dire : *plus petit*).

b) **Le comparatif général** :

1 - *Formes :*

Il est marqué par les tournures :

le (la, les) plus + *adjectif* + *de* (comparatif général de *supériorité*).

le (la, les) moins + *adjectif* + *de* (comparatif général d'*infériorité*).

Il n'y a pas de comparatif général d'égalité.

2 - *Emploi :*

L'adjectif qualificatif employé au comparatif général sert à comparer un ou plusieurs êtres ou objets à l'ensemble de leur espèce, du point de vue de la même qualité :

> *Pierre est* le plus travailleur *des élèves de sa classe.*
>
> *Paul est* le moins obéissant *des élèves de cette classe.*
>
> *Cette maison est* la plus grande *de toutes celles du village.*

2 **LE SUPERLATIF** : Il sert à exprimer une *mesure absolue de la qualité :*

a) *Formes :*

Il est marqué par les tournures :

Très + *adjectif* (degré très élevé).

Assez + *adjectif* (degré moyen).

Peu + *adjectif* (degré peu élevé).

Très peu + *adjectif* (degré très peu élevé).

b) *Emploi :*

L'adjectif qualificatif employé au superlatif indique un degré remarquable de la qualité considérée, de manière absolue, c'est-à-dire sans la comparer à ce qu'elle peut être chez d'autres êtres ou d'autres objets.

> *Pierre est* très intelligent, *mais* peu obéissant.
>
> *Jacques est* assez travailleur.

A noter : 1 - On peut trouver également l'expression du *degré excessif (trop),* ou au contraire du *degré insuffisant (trop peu)* :

Pierre est trop désobéissant (degré excessif).

Paul est trop peu *travailleur* (degré insuffisant).

2 - *Très* peut être remplacé par d'autres mots plus expressifs :

fort - bien - tout à fait - infiniment, etc.

3 - Certains vocabulaires spéciaux (politique, publicité, médecine), forment leur superlatif, au degré très élevé, avec un *préfixe* :

Ultra-*conservateur.* - Super-*moussant.* - Hyper*tendu.*

V. LES PRONOMS

*Le mot **pronom** contient le mot **nom**. On dit généralement qu'un pronom représente un nom.*

Leur emploi :
1 - Le plus souvent, en effet, un pronom représente un nom :
Les fleurs que j'ai cueillies, je les ai données à ma mère.

2 - Le pronom peut remplacer d'autres mots que le nom, et même des propositions ou des parties de propositions :
Un verbe : Ex. *Sortir, nous le voudrions bien.*
Un adjectif : Ex. *Belle, cette fillette l'est sûrement.*
Une ou plusieurs propositions : Ex. *Vous êtes las, vous avez des soucis : il faut surmonter* cela.

Leurs fonctions :
Les pronoms peuvent avoir les mêmes fonctions que les noms : sujet, attribut, complément du verbe, complément du nom, complément de l'adjectif, apposition, apostrophe.

 A LES PRONOMS PERSONNELS

1 FORMES :

	singulier	pluriel
1re personne : 2e personne :	*je me moi* *tu te toi*	*nous* *vous*
3e personne Masc. : Fém. :	*il le (l') lui* *elle la (l') lui*	*ils les leur* *elles les leur*
3e personne réfléchie	M. *se soi* F. *se soi*	M. *se soi* F. *se soi*
pronoms adverbiaux :	*en - y*	*en - y*

A noter :

❋ Il existe une forme élidée obligatoire, à la place de *le* et *la* devant une voyelle : *l'*. *Je l'aime bien.*

❋ Il existe des formes d'insistance : ***moi, toi, lui, elle, eux, elles.***
Toi, tu travailles bien. Moi, *je suis un peu trop paresseux.*

❋ Il existe un pronom personnel réfléchi spécial pour la 3ᵉ personne : *se* (singulier et pluriel), ***soi.***
Pierre se lave les mains avant chaque repas.
On a toujours besoin d'un plus petit que soi.

❋ Il existe deux pronoms adverbiaux : ***en*** (qui équivaut à : ***de cela***), et *y* (qui équivaut à : ***à cela***).
Peux-tu me donner de la monnaie?
— Non, je n'en ai pas.
J'ai quitté mon village natal. Mais j'y pense toujours.

2 EMPLOI :

a) le pronom personnel peut représenter un nom, un autre pronom, un adjectif, un infinitif, une proposition.
J'ai acheté cette voiture à Jacques. Il me l'a vendue très bon marché.

b) De plus, il indique la personne grammaticale :
*1ʳᵉ **personne :*** celui qui parle.
*2ᵉ **personne :*** celui à qui l'on parle.
*3ᵉ **personne :*** celui dont on parle.

3 FONCTIONS :

La forme des pronoms personnels varie suivant leur fonction :

a) Les pronoms qui peuvent être ***sujets*** sont : ***je, tu, il, elle, nous, vous, ils, elles, eux.*** Ils se placent devant le verbe.

b) Les pronoms qui peuvent être ***compléments d'objet direct*** sont : ***me, te, la (l'), le (l'), se, nous, vous, les.*** Ils se placent devant le verbe, sauf si celui-ci est à l'impératif affirmatif.
Je te le donne. Je ne te le donne pas.
Mais : *Donne-le moi. Ne me le donne pas.*

c) Les pronoms qui peuvent être ***compléments d'objet indirect, sans préposition,*** sont : ***me, moi, te, toi, lui, se, nous, vous, leur.*** Ils se placent avant le verbe (et avant le pronom complément d'objet direct), sauf si le verbe est à l'impératif affirmatif :
Je te prête mon livre. Je te le prête. Je ne te le prête pas.
Mais : *Prête-moi ton livre. Prête-le moi. Ne me le prête pas.*

d) Les pronoms qui peuvent être **compléments d'objet indirect, avec préposition,** ou **compléments circonstanciels,** sont : **moi, toi, lui, elle, soi, nous, vous, elles, eux.**

Tout cela s'est passé à cause de lui.

A noter :

1 - **Le, la, les, l'** sont pronoms personnels devant le verbe. Mais ils sont articles devant le nom.

2 - **Leur** est pronom personnel invariable (pluriel de **lui**), devant le verbe. Mais il est adjectif possessif variable devant le nom. Ne pas confondre **leur** dans : *Donnez*-leur *à boire.*
avec **leur** dans : Leur *maison est démolie.*

3 - **En** est un pronom lorsqu'il est placé devant un verbe et qu'il signifie : **de cela.** Il est adverbe de lieu, lorsqu'il est placé devant un verbe et qu'il signifie : **de là.** Il est préposition lorsqu'il est placé devant un nom : *en hiver, en prison.* Ne pas confondre *en* dans : *j'en veux* avec *en* dans : *j'en viens.*

Y est un pronom lorsqu'il signifie : **de cela.** Il est adverbe de lieu lorsqu'il signifie : **là.** Ne pas confondre *y* dans : *j'y pense,* avec *y* dans : *j'y vais.*

B LES PRONOMS DÉMONSTRATIFS

1 Le pronom démonstratif **celui-ci, celui-là** sert à remplacer un nom précédé d'un adjectif démonstratif :

Ce livre est propre, mais celui-là *est sale.*

	singulier	pluriel	singulier	pluriel
masculin	*celui-ci*	*ceux-ci*	*celui-là*	*ceux-là*
féminin	*celle-ci*	*celles-ci*	*celle-là*	*celles-là*
neutre	*ceci, ce*		*cela*	

2 Le pronom démonstratif **celui, celle, ceux, celles, ce** s'emploie pour remplacer un nom précédé d'un article défini devant une proposition relative :

Le film que j'ai vu cet après-midi était beaucoup plus intéressant que celui *que j'ai vu la semaine dernière.*

Les pronoms démonstratifs peuvent avoir les mêmes fonctions que les noms.

LES PRONOMS POSSESSIFS

1 **FORMES :**

	Forme	Personne	Genre et nombre	Sens
Un seul possesseur	*Le mien* *Le tien* *Le sien*	1re pers. 2e pers. 3e pers.	Masculin singulier	Un seul objet possédé
	La mienne *La tienne* *La sienne*	1re pers. 2e pers. 3e pers.	Féminin singulier	
	Les siens *Les tiens* *Les siens*	1re pers. 2e pers. 3e pers.	Masculin pluriel	Plusieurs objets possédés
	Les miennes *Les tiennes* *Les siennes*	1re pers. 2e pers. 3e pers.	Féminin pluriel	
Plusieurs possesseurs	*Le nôtre* *Le vôtre* *Le leur*	1re pers. 2e pers. 3e pers.	Masculin singulier	Un seul objet possédé
	La nôtre *La vôtre* *La leur*	1re pers. 2e pers. 3e pers.	Féminin singulier	
	Les nôtres *Les vôtres* *Les leurs*	1re pers. 2e pers. 3e pers.	Masculin ou féminin pluriel	Plusieurs objets possédés

2 **ACCORD ET EMPLOI :**

Le pronom possessif s'accorde en personne avec le possesseur, en genre et en nombre avec le nom qu'il représente et qui désigne l'être ou l'objet possédé.

> *Sa maison est bâtie :* la nôtre [la maison qui est à nous] *est encore en construction.*

Les pronoms possessifs peuvent avoir les mêmes fonctions que les noms.

On prendra garde à la différence orthographique qui oppose **notre**, **votre**, adjectifs possessifs, à **le nôtre**, **le vôtre** (avec un accent circonflexe), pronoms possessifs.

A noter : Expressions figées :

1 - **Les miens :** mes proches parents [père, mère, femme, mari, enfants].

2 - *Je suis* **des vôtres,** *soyez* **des nôtres**, etc. [j'appartiens à votre groupe, entrez dans notre groupe].

3 - **Les nôtres** *ont remporté la victoire* [notre équipe ou notre parti, ou notre pays...].

4 - **A la tienne, à la vôtre** [je bois à ta santé, à votre santé].

5 - **Y mettre du sien** [coopérer activement à quelque chose].

6 - *Il a encore* **fait des siennes** [il a encore fait un tour de sa façon].

LES PRONOMS INTERROGATIFS

La forme des pronoms interrogatifs varie avec leur fonction et avec la nature de ce qu'ils représentent. On trouve, en effet, des formes différentes selon qu'il s'agit d'un être (animé) ou d'une chose (inanimé); selon que l'être ou l'objet représenté est exprimé ou non avant le pronom (existence ou absence d'un antécédent), enfin selon que l'interrogation est directe ou indirecte (voir ci-dessous, pp. 112 et 117).

1 FORMES ET EMPLOIS EN INTERROGATION DIRECTE

a) **Sans antécédent :**

	Référence à un être		Référence à une chose	
Pronom sujet	*Qui*	*Qui est venu?*	*Qu'est-ce qui*	*Qu'est-ce qui s'est passé?*
Attribut	*Qui*	*Qui êtes vous?* (Interrogation sur l'identité)	*Que* ou *Qu'est-ce que*	*Qu'êtes-vous?* (Interrogation sur le métier, l'apparte- nance à telle ou telle catégorie, etc.) *Que devenez-vous? Qu'est-ce que vous devenez?*
Complément d'objet direct	*Qui*	*Qui avez vous rencontré?*	*Que* ou *Qu'est-ce que*	*Que faites-vous? Qu'avez-vous fait? Qu'est-ce que vous faites? Qu'est-ce que vous avez fait?*
Complément d'objet indirect	*A qui* ou *De qui*	*A qui pensez-vous?* *De qui vous plaignez-vous?*	*A quoi* *De quoi*	*A quoi pensez-vous?* *De quoi vous plaignez-vous?*
Complément circons- tanciel	*Avec qui* *Sur qui* *Par qui* etc	*Avec qui viendrez- vous?*	*Avec quoi* *Sur quoi* *Par quoi* etc	*Avec quoi avez-vous fait cela?*

A noter :

1 - La forme *que* s'élide en *qu'* devant un mot commençant par une voyelle ou un *h* muet.

2 - *Quoi* peut être employé seul, soit avec valeur exclamative, soit pour marquer avec force l'incrédulité, la mise en doute :

Quoi ! *vous ici !*
Quoi ? *qu'est-ce que vous me racontez-là ?*

3 - On verra dans le chapitre sur la phrase interrogative que la tournure avec inversion du sujet peut être remplacée par une phrase à ordre normal des termes (sujet-verbe-complément), si le mot interrogatif est suivi de : *est-ce que* (voir ci-dessous, p. 113) :

A qui est-ce que *vous pensez ?*
au lieu de : A qui *pensez-vous ?*
A quoi est-ce que *vous pensez ?*
au lieu de : A quoi *pensez-vous ?*

4 - Le pronom *qui* est réservé à l'interrogation portant sur un être (qui est le plus souvent une personne). Dans le cas des animaux, on emploie également *qui*.

Quand vous allez au jardin zoologique, à qui donnez-vous le plus volontiers des friandises, aux éléphants ou aux singes ?

b) **Avec antécédent :**

		Référence à un être ou à une chose
Pronom sujet, attribut, et complément d'objet direct	*Lequel*	*De nos invités, lequel est parti le premier ? - De vos deux voitures, laquelle préférez-vous ?*
Complément d'objet indirect	*Auquel*	*Vous avez le choix entre deux professions. A laquelle vous destinez-vous ?*
Complément circonstanciel	*Dans lequel Par lequel Sur lequel* etc.	*Il y a plusieurs cinémas dans cette rue. Dans lequel entrons-nous ?*

A noter :

1 - **Lequel, auquel, duquel,** sont des formes variables, qui s'accordent en genre et en nombre avec le nom qu'elles représentent :

Masc. sing.	Fémin. sing.	Masc. plur.	Fém. plur.
Lequel	*laquelle*	*lesquels*	*lesquelles*
Auquel	*à laquelle*	*auxquels*	*auxquelles*
Duquel	*de laquelle*	*desquels*	*desquelles*
Dans lequel	*dans laquelle*	*dans lesquels*	*dans lesquelles*

2 - Dans la langue correcte, ces formes doivent être renforcées par *est-ce que*, si l'on choisit la tournure sans inversion. Mais la phrase devient alors peu élégante :

Vous avez le choix entre deux professions. A laquelle est-ce que *vous vous destinez ?*

3 - Dans l'interrogation directe avec antécédent, le pronom interrogatif ne varie pas avec la nature de la référence, au contraire de ce qui se passe pour l'interrogation sans antécédent.

4 - **Lequel, auquel, dans lequel, pour lequel,** etc., au lieu d'avoir un antécédent dans la phrase précédente, peuvent avoir un complément introduit par **de**, qui désigne également les êtres ou les objets auxquels la question posée fait référence :

Pour lequel *de ces trois candidats me conseillez-vous* de *voter?*
Laquelle des *deux solutions choisir?*

2 FORMES ET EMPLOIS EN INTERROGATION INDIRECTE :

	Sans antécédent		Avec antécédent
	Référence à un être	Référence à une chose	Référence à un être ou à une chose
Sujet	**Qui** *Je me demande qui a frappé*	**Ce qui** *Je me demande ce qui se passe*	**Lequel** *De vous deux, dis-moi lequel est le plus âgé*
Complément d'objet direct	**Qui** *Je voudrais savoir qui tu as rencontré*	**Ce que** *Je voudrais savoir ce que tu as fait aujourd'hui*	**Lequel** *De tous les tableaux que tu as vus à l'exposition dis-moi lequel tu préfères*
Complément d'objet indirect	**A qui De q'ti** *Dis-moi à qui tu écris*	**A quoi De quoi** *Dis-moi à quoi tu penses*	**Auquel Duquel** *De tous les pays que tu as visités, je te demande auquel tu t'intéresses le plus*
Complément circonstanciel et complément d'agent	**Avec qui Par qui** etc. *Je lui ai demandé avec qui il avait voyagé*	**Avec quoi Sur quoi** etc. *Je lui ai demandé avec quoi il avait nettoyé sa bicyclette*	**Avec lequel Par lequel Dans lequel** etc. *De tous ces pays, je voudrais savoir dans lequel tu aimerais vivre*

A noter :

1 - On voit que le pronom *qui* est réservé, comme dans le cas de l'interrogation directe, à l'interrogation sans antécédent portant sur un être.

2 - L'interrogation indirecte exclut à la fois l'inversion du sujet et l'emploi de *est-ce que*.

3 - On se reportera à l'étude de la proportion subordonnée interrogative indirecte, ci-dessous, p. 117.

LES PRONOMS INDÉFINIS

On emploie les pronoms indéfinis pour désigner sans précision, ni en identité, ni en quantité, un être, une chose, un groupe d'êtres ou un groupe de choses.

Les uns, les **représentants,** font référence à des êtres ou des choses antérieurement désignés. Les autres sont employés sans référence, comme des noms. Ce sont les **nominaux.**

1 REPRÉSENTANTS

a) **Représentants de singularité indéfinie :**

✳ *L'un, l'autre.*
Ils s'emploient pour opposer deux êtres ou deux objets, deux groupes d'êtres ou deux groupes d'objets déjà désignés.
> *Voici les deux trains qui partent pour Montréal :* l'un *est un rapide,* l'autre *s'arrête dans plusieurs petites localités.*

A noter :
1 - Expression toute faite : *De deux choses l'une...*
2 - *L'un l'autre, l'un à l'autre,* expriment la réciprocité :
> *Ils se sont blessés l'un l'autre.*
> *Ils se sont menti l'un à l'autre.*
3 - A *l'un,* peut parfois se substituer *un.*

b) **Représentants de pluralité indéfinie :**

✳ *Les uns, les autres* (féminin : *les unes, les autres*), s'emploient pour opposer deux groupes d'êtres ou deux groupes d'objets antérieurement désignés :
> Les uns *lisaient,* les autres *jouaient aux échecs.*

✳ *Quelques-uns* (féminin : *quelques-unes*), *certains* (féminin : *certaines*), *plusieurs, beaucoup, la plupart,* s'emploient pour désigner un nombre indéterminé d'êtres ou d'objets pris dans un ensemble :
> La plupart *des prisonniers étaient couchés par terre.* Quelques-uns *dormaient. De temps en temps,* certains *se levaient et marchaient de long en large.* Beaucoup *se désespéraient.*

✳ *Tous* (féminin : *toutes*) s'emploie pour désigner la totalité d'un ensemble d'êtres ou de choses :
> *L'un après l'autre, les acteurs sont venus saluer le public.* Tous *ont été chaleureusement applaudis.*

c) **Représentants de la quantité nulle :**

* *Aucun* (féminin : *aucune*), *pas un* (féminin : *pas une*).
  De tous les lieux touristiques de la ville de Québec, aucun n'est plus populaire que la Château Frontenac.

d) **Représentant distributif :**

* *Chacun* (féminin : *chacune*).
  Il y a plusieurs maisons neuves dans ce village. Chacune *dispose d'un abri de voiture.*

2 NOMINAUX

a) **Nominaux de singularité indéfinie :**

* *Quelqu'un* (un être), *quelque chose* (une chose) :
  Quelqu'un *a frappé. Allez ouvrir.*
  `Vous êtes songeur. Y a-t-il quelque chose *qui vous préoccupe ?*

* *On* (les gens, en général).
  On *a toujours besoin d'un plus petit que soi.*

* *N'importe qui* (un être quelconque), *n'importe quoi* (une chose quelconque).

  N'importe qui *pourrait entrer ici sans qu'on le sache.*
  Dites-lui n'importe quoi.

* *Autre chose* :
  Pensez à autre chose.

* *Autrui* (les autres gens : peu usité).
  Ne faites pas à autrui *ce que vous ne voulez pas qu'on vous fasse.*

b) **Nominaux de pluralité indéfinie :**

* *Certains, certaines* (certaines personnes).
  Certains *pensent qu'une guerre mondiale n'est plus possible.*

* *Beaucoup* (beaucoup de gens).
  Beaucoup *trouvent la situation inquiétante.*

A noter : Certains *et* beaucoup peuvent donc être soit des représentants, soit des nominaux.

* *Tout* (l'ensemble, la totalité des choses).
  Tout *est fini.*

* ***Tout le monde*** (tous les gens).
  Tout le monde *est parti.*

c) **Nominaux de quantité nulle :**

* ***Personne*** (aucun être).
  Personne *ne sait exactement ce qui a déclenché l'incendie.*

* ***Rien*** (aucune chose).
  Rien *ne sert de courir, il faut partir à point.*

F LES PRONOMS RELATIFS

Ils jouent à la fois le rôle d'un ***pronom*** (ils représentent un nom), et d'un ***mot de relation*** (ils relient deux propositions, voir ci-dessous, p. 118).

1 LES PRONOMS RELATIFS REPRÉSENTANT UN NOM EXPRIMÉ (l'antécédent).

a) **Formes :**

La forme du pronom relatif varie principalement avec sa fonction. De plus, elle varie en partie avec la nature du nom ou du pronom représenté (ou antécédent) : on trouve, pour certaines fonctions, des formes différentes selon que l'antécédent désigne un être (humain ou animal) ou une chose ou bien encore est constitué par les pronoms *ce, cela, quelque chose, rien.* Voir le tableau p. 42.

b) **Emplois :**

1 - ***Qui :*** Pronom relatif sujet. Antécédent : être (humain ou animal) ou chose.
   Le garçon qui *passe.*
   Le chien qui *aboie.*
   La pluie qui *tombe.*

2 - ***Que :*** Pronom relatif attribut du sujet. Antécédent : être (personne ou animal) ou chose, mais surtout employé avec un antécédent désignant un être.
   Le grand liseur que *j'ai toujours été et* que *je demeure.*

3 - **Que** : Pronom relatif complément d'objet. Antécédent : être ou chose.

Le camarade que *je viens de quitter.*

4 - **Dont** : Pronom relatif complément du nom, ou d'un verbe qui est normalement suivi de la préposition *de*. Antécédent : être (humain ou animal) ou chose.

L'affaire dont *vous m'avez parlé.*

5 - **(à) qui, auquel, à quoi.**

* **A qui** : Pronom relatif complément indirect d'objet ou complément d'attribution d'un verbe, lorsque l'antécédent est un être.

Voici mon frère, à qui *vous avez écrit récemment.*

* **Auquel** : Forme contractée du pronom relatif, complément indirect d'objet ou complément d'attribution d'un verbe lorsque l'antécédent désigne une chose.

C'est une idée à laquelle *il faudra réfléchir.*

* **(à) quoi** : Pronom relatif, complément indirect d'objet d'un verbe, lorsque l'antécédent est *cela, quelque chose, rien.*

Il n'est rien à quoi *je tienne, plus que ce tableau.*

Voilà quelque chose à quoi *je ne pensais pas.*

6 - **Où** : Pronom relatif complément circonstanciel de lieu, quant l'antécédent est un nom de lieu (ville, pays, rue, etc.).

Montréal est une ville où *la circulation devient de plus en plus difficile.*

7 - (avec, chez, dans, par, sur, pour, vers) **qui,** (avec, chez, dans, par, pour, etc.) **lequel,** (avec, dans, par, sur) **quoi** :

* (avec, chez, dans, par, pour, etc.) **qui** : Pronom relatif complément circonstanciel, lorsque l'antécédent désigne un être humain.

Les personnes avec qui *nous avons voyagé l'été dernier.*

Les amis chez qui *j'ai séjourné.*

* (avec, dans, par, pour, sur, vers) **lequel** : Pronom relatif, complément circonstanciel, lorsque l'antécédent désigne un animal ou une chose.

La maison devant laquelle *vous vous trouvez a été habitée par Nelligan.*

* (avec, dans, par, pour, sur, vers) **quoi** : Même emploi, lorsque l'antécédent est un pronom neutre (ex. **quelque chose**) ou une proposition.

Tableau des formes :

	L'antécédent est un être (animé)	L'antécédent est une chose (inanimé)	L'antécédent est : *cela, rien, quelque chose*
Sujet	*L'homme qui tombe*	*La pierre qui tombe*	*Quelque chose qui tombe*
Attribut	*Le soldat que vous êtes*	Peu usité	Inusité
Complément d'objet direct	*L'homme que j'ai vu*	*La maison que j'ai vue*	*Quelque chose que j'ai vu*
Complément de nom ou de verbe construit avec la préposition *de*	*L'écrivain dont j'ai lu quelques pages*	*Le livre dont j'ai lu quelques pages*	*Il n'est rien dont j'aie plus envie*
Complément indirect d'objet, ou d'attribution	*(à) qui* *L'homme à qui vous pensez*	*Auquel* fém. sing. *à laquelle* mas. plur. *auxquels* fém. plur. *auxquelles* *La profession à laquelle je me destine*	*A quoi* *C'est quelque chose à quoi il faut prendre garde.*
Complément circonstanciel de lieu	*chez qui* *Les amis chez qui je me trouve*	*Où* *La maison où je demeure* *dans, en, sur, vers lequel (laquelle, lesquels, lesquelles)*, etc *Le bateau sur lequel nous naviguons*	*où* *Là où nous nous dirigeons* *dans, en, sur, vers quoi* *Il n'y a rien sur quoi je puisse m'appuyer.*
Autres compléments circonstanciels	*par, pour, à cause de, qui, etc.:* *Le garçon à cause de qui Pierre a été puni.*	*par, pour lequel, lesquels, laquelle, lesquelles, à cause duquel, de laquelle, desquels, desquelles* *L'examen en vue duquel vous travaillez*	*par, pour, dans, à cause de quoi* *Quelque chose à cause de quoi je suis ennuyé.*

2 LE PRONOM RELATIF SANS ANTÉCÉDENT :

Il existe quelques emplois de *qui* et de *quoi* précédé d'une préposition, et de *où*, sans antécédent exprimé. Ces emplois apparaissent dans des phrases ou des expressions toutes faites :

Qui *dort dîne.*

Qui *aime bien chatie bien.*

Qui *vivra verra.*

Où *le père a passé, passera bien l'enfant.*

Il faut y ajouter les relatifs indéfinis *quiconque* et *qui que ce soit qui*, qui se construisent également sans antécédent, sont toujours sujets et ont une valeur collective ou distributive :

Je punirai quiconque *sortira sans ma permission.*

LE VERBE

GÉNÉRALITÉS :
Le verbe est un mot qui réunit au moins trois caractéristiques :

Du point de vue du sens : *il exprime une action, un état, ou un changement d'état.*

> L'enfant court.
> Les feuilles jaunissent.

Du point de vue de la forme : *il comporte des terminaisons différentes selon la personne qui fait l'action, l'époque où celle-ci se passe, le caractère plus ou moins réel de cette action, etc. C'est ce qu'on appelle la conjugaison :*

> L'enfant court.
> L'enfant courait.
> Nous courrons.

Du point de vue de la fonction : *il sert de nœud à la phrase simple, qu'il constitue en association avec son sujet (groupe nominal ou pronom), et, éventuellement, avec ses compléments.*

> Sujet   Verbe   Complément
> L'enfant court dans le jardin.

I. LES GROUPES DU VERBE

Traditionnellement, les verbes français sont répartis en trois groupes.

Le premier groupe comprend les verbes dont l'infinitif se termine par *-er*. La troisième personne du singulier du présent de l'indicatif est en *-e.*
    Type : ***Chanter***   ***Il chante***

Le deuxième groupe comprend les verbes dont l'infinitif se termine par *-ir* et dont l'imparfait de l'indicatif se forme avec l'élément *-iss-.*
    Type : ***Finir***   Imparfait : ***Je finissais.***

Le troisième groupe comprend tous les verbes qui n'appartiennent pas aux deux groupes précédents. Les principaux forment leur infinitif en *-ir*, en *-oir* et en-*re*.
    Types : ***Dormir.***
           Recevoir.
           Prendre.
                  etc.
On trouvera en appendice, ci-après, les tableaux de conjugaison des verbes français.

II. LA CONSTRUCTION DU VERBE

Les verbes sont **transitifs** lorsqu'ils admettent un complément d'objet direct.
    Jacques épluche *une pomme de terre.*

Ils sont **intransitifs** lorsqu'ils n'admettent pas de complément d'objet direct.
    Nous descendons *à la prochaine station.*

Certains verbes sont **transitifs ou intransitifs** selon leur sens :
    Nous descendons *à la prochaine station* (intransitif).
    Vous descendrez *les bouteilles de vin dans la cave* (transitif).

III. LA PERSONNE DU VERBE

A VERBES PERSONNELS

A l'indicatif et au subjonctif, la plus grande partie des verbes français comporte trois personnes du singulier et du pluriel. La terminaison du verbe et la forme du pronom personnel sujet qui précède le verbe indiquent si le sujet est *celui qui parle, celui à qui l'on parle,* ou *un tiers.*

Je lis, 1re personne du singulier : Celui qui parle fait l'action.

Tu lis, 2e personne du singulier : Celui à qui l'on parle fait l'action.

Il lit, elle lit, 3e personne du singulier : Celui ou celle de qui l'on parle fait l'action.

Nous lisons, 1re personne du pluriel : Celui qui parle et d'autres font ensemble l'action.
Inclusif : Moi + toi (ou vous)
   Toi et moi, nous sommes de bons élèves.
Exclusif : Moi + lui (ou eux) à l'exclusion de toi ou vous.
   Pierre et moi, nous irons nous baigner cet après-midi.

Vous lisez : 2e personne du pluriel : ceux à qui l'on parle, ou celui à qui l'on parle et d'autres, font, ensemble, l'action.
Vous peut désigner, soit un interlocuteur unique et ceux qui font l'action avec lui, soit un groupe auquel on s'adresse en bloc.

   Jacques et toi, vous m'accompagnerez.
   Bonjour, chers amis. Vous êtes ici chez vous.

Ils lisent : 3e personne du pluriel : ceux de qui l'on parle font l'action.

A l'impératif, on ne trouve généralement que la 2e personne du singulier, et les 1re et 2e personnes du pluriel : **Lis.**
Lisons.
Lisez.

Ⓑ *VERBES IMPERSONNELS, ou UNIPERSONNELS*

Il existe des verbes qui ne s'emploient qu'*à une seule personne, la 3ᵉ personne du singulier.* Le sujet unique du verbe est *il*. Le pronom *il*, dans ce cas, ne fait référence à aucun être ni à aucune chose, ne renvoie à aucun sujet déterminé.

Il pleut.   Il va neiger.

Il importe *que ce colis soit expédié rapidement.*

Ce sont les verbes impersonnels, parfois appelés unipersonnels. On distingue deux séries de ces verbes, selon qu'ils sont toujours impersonnels, ou qu'ils peuvent être employés tantôt comme verbes personnels, tantôt comme verbes impersonnels.

▮ LES IMPERSONNELS PAR NATURE :

a) **Verbes désignant des phénomènes météorologiques :**
   Il pleut, il neige, il grêle, il tonne, il bruine, il gèle.

Certains de ces verbes peuvent être employés comme verbes personnels, mais dans un autre sens :

Les pommes de terre ont gelé *dans la cave* (ont subi l'action du gel).

Les balles pleuvaient *de tous côtés* (sens figuré).

b) **Périphrases il fait + un adjectif, et il fait + un nom précédé de l'article partitif ou indéfini,** servant à désigner un phénomène météorologique, ou plus généralement un phénomène physique :

Il fait froid, chaud, sec, humide, doux, lourd, beau, mauvais, clair, sombre, jour, nuit, beau temps, mauvais temps.
Il fait du soleil, du brouillard, de l'orage, du vent.
Il fait beaucoup de soleil, trop de soleil, etc.
Il fait un vent ! un soleil ! (tournure exclamative et intensive).

On emploie *Il fait* lorsqu'il n'existe pas de verbes spéciaux du type *Il pleut.*

c) **Verbes exprimant l'existence ou la nécessité d'un fait** sans le rapporter à un sujet : *il y a, il faut.*

Il y a trop de bruit dans cette maison.
Il faudrait du silence.

47

2 LES IMPERSONNELS PAR CONSTRUCTION :

Ce sont des verbes qui peuvent être conjugués à toutes les personnes, mais qui peuvent aussi apparaître à la troisième personne avec une valeur impersonnelle :

a) **Verbes d'existence** : *Il est, il existe, il se passe, il se produit, il arrive.*

> Il est
> Il existe } *une maison, sur la colline, où j'aimerais demeurer.*

> Il se passe
> Il se produit } *des événements extraordinaires.*

Il est sert en particulier pour indiquer l'heure :

> Il est *midi.*

b) *Il est* + *un adjectif :*

Il est introduit d'autre part un adjectif suivi d'un infinitif complément ou d'une proposition complétive reliée par *que* : *Il est certain, possible, probable, improbable, impossible, facile, difficile, important, urgent, agréable, désagréable, entendu, sûr, clair,* etc.

> Il est important, *pour votre carrière, que vous fassiez la connaissance de Monsieur Dupont.*

> Il est difficile *de conduire une automobile dans la circulation intense des grandes capitales.*

c) *Verbes exprimant l'explication, la nécessité, l'évidence : Il s'agit de, il importe, il vaut mieux, il convient, il va de soi* (suivis d'un infinitif ou d'une proposition introduite par *que*).

> *Quel est l'objet de cet article?* - Il s'agit du *désarmement universel.*

> Il vaut mieux *cueillir ces fleurs aujourd'hui : demain, elles seront fanées.*

On notera l'opposition entre l'emploi de *il* et l'emploi de *cela,* dans les tours suivants :

> Il *est important que vous fassiez la connaissance de Monsieur Dupont* ≠ *Faites la connaissance de Monsieur Dupont :* cela *est important.*

> Il *vaut mieux cueillir ces fleurs aujourd'hui* ≠ *Cueillons ces fleurs aujourd'hui :* cela *vaut mieux.*

IV. LA VOIX DU VERBE

A LA VOIX ACTIVE

Tous les verbes français ont la **voix active**, qui comporte les formes simples et les formes composées du verbe.
Les formes composées sont construites à l'aide du participe passé et d'une forme simple de l'auxiliaire *avoir* ou *être*.
On trouve même des formes surcomposées (participe passé et forme composée de l'auxiliaire).

Forme simple : **Je chante.**
Forme composée : **J'ai chanté.**

Le verbe à la voix active indique que le sujet du verbe fait l'action ou se trouve dans l'état exprimé par le verbe.

Il lit *un livre.*
Il a lu *un livre.*

B LA VOIX PASSIVE

1 FORMES :

Un grand nombre de verbes ont la **voix passive,** qui se conjugue en plaçant **devant le participe passé du verbe l'auxiliaire être** à tous ses temps, simples et composés :

Il est frappé *douloureusement par la mort de son père.*
Il a été frappé *douloureusement par la mort de son père.*

A noter : Il faut éviter de confondre le passé composé actif des verbes construits avec l'auxiliaire *être*, et le présent passif construit lui aussi avec le présent de l'auxiliaire *être*. S'il s'agit d'un passif, il est toujours possible de construire le passé composé passif en substituant à la forme simple de *être* (*est*) la forme composée (*a été*).

Il est allé : passé composé actif (on ne peut trouver : ✳ *il a été allé*).
Le coureur est encouragé par les spectateurs : présent passif (on peut trouver : *le coureur a été encouragé*).

2 EMPLOI :

On reconnaît d'autre part le passif au fait qu'il est suivi la plupart du temps d'un « complément d'agent » introduit par la préposition *par*, ou, plus rarement, la préposition *de*.

> *Le Saint-Laurent* était parcouru *par de nombreuses goélettes.*
> *Cette robe* est bordée *de magnifique dentelle.*

La phrase à l'actif : *L'ennemi a brûlé la ville,* se transforme, au passif, en : *La ville a été brûlée par l'ennemi.* On constate que le sujet du verbe de la phrase active est devenu le complément d'agent du verbe de la phrase passive, tandis que le complément d'objet du verbe actif est devenu le sujet du verbe passif.

Tous les verbes de construction transitive directe peuvent en principe être tournés à la voix passive. Cela est impossible à la plupart des verbes de construction transitive indirecte et de construction intransitive, et aux verbes pronominaux (voir ci-après). Mais le passif est peu employé dans la conversation courante, et les usagers utilisent de préférence les tournures actives.

On dira plus fréquemment :

> *Un gouvernement énergique dirige les affaires du pays.*
que : *Les affaires du pays sont dirigées par un gouvernement énergique.*

A noter : On peut souvent éviter une tournure passive par l'emploi du pronom personnel indéfini *on* :

> *On accepte ici les campeurs.*
plutôt que : *Les campeurs sont acceptés ici.*
> *On portera beaucoup la jupe courte l'été prochain.*
plutôt que : *La jupe courte sera beaucoup portée l'été prochain.*

Enfin, lorsque le verbe au passif n'a pas de complément d'agent, on peut parfois substituer au passif une tournure pronominale :

> *La jupe courte se portera beaucoup l'été prochain.*

LA VOIX PRONOMINALE :

Un certain nombre de verbes se construisent à toutes les personnes, tous les modes et tous les temps, *avec un pronom personnel réfléchi intercalé* entre le sujet et le verbe :

> *Je me promène.*
> *Elle s'est évanouie.*

Ce sont des verbes dits pronominaux, ou employés à la voix pronominale.

Leurs temps composés sont construits avec l'auxiliaire *être*. On distingue :

■ LES VERBES PRONOMINAUX PAR NATURE :

Ce sont ceux qu'on trouve toujours construits avec le pronom réfléchi. On ne les rencontre jamais à la voix passive.

Types : *S'évanouir, s'abstenir, s'évader,* etc.

> *Elle s'est évanouie.*

■ LES VERBES PRONOMINAUX PAR CONSTRUCTION :

Ce sont ceux qu'on peut trouver tantôt à la voix active, tantôt à la voix passive, tantôt à la voix pronominale :

Types : *Se laver* (à côté de : *laver* et *être lavé*).

> *Ils se sont lavés des pieds à la tête.*

■ LES VERBES PRONOMINAUX DE SENS RÉCIPROQUE :

Parmi les verbes pronominaux par construction, quelques-uns peuvent indiquer, au pluriel, une action réciproque, c'est-à-dire une action qui s'exerce du sujet sur l'objet, et, réciproquement, de l'objet sur le sujet.

> *Ils se sont battus* (ils se sont battus l'un l'autre).
> *Ils se sont serré* la main (chacun a serré la main de l'autre).
> *Ils se sont succédé* sur le trône (le second a succédé au premier, et ainsi de suite).

V. LES MODES
ET LES TEMPS DU VERBE

On distingue *trois modes personnels,* dont les formes changent de terminaison selon la personne du sujet, et *trois modes non-personnels,* qui ne varient pas selon la personne du sujet.

Chaque mode dispose de *plusieurs temps,* pour indiquer l'époque de l'action. L'indicatif est le mode le plus riche en formes temporelles (simples et composées).

Les modes personnels sont :

✳ **L'indicatif,** qui indique en général une action réelle. Nous rangeons le conditionnel dans l'indicatif, comme un temps de ce mode.

✳ **Le subjonctif,** qui indique en général une action dont la réalité ne peut être affirmée.

✳ **L'impératif,** qui est un mode de dialogue, servant à exprimer une injonction.

Les modes non-personnels sont :

✳ **L'infinitif,** qui est la forme nominale du verbe, nommant purement et simplement l'action, comme le ferait un nom :
Mentir *est un vilain défaut*(= le mensonge est un vilain défaut).

✳ **Le participe,** qui est la forme adjectivale du verbe, et qui s'adjoint à un nom, comme pourrait le faire un adjectif ou une proposition relative.
Je vois chaque matin un vieil homme jouant *de l'accordéon au coin de ma rue.*

✳ **Le gérondif,** qui est la forme adverbiale du verbe, et qui s'adjoint à un verbe comme le ferait un adverbe ou un complément circonstanciel :
Les enfants se promènent en chantant.

LES TEMPS
DE L'INDICATIF

 **LE PRÉSENT**

1 FORMES

a) **Les verbes du 1ᵉʳ groupe :**
On remplace la terminaison de l'infinitif **-er** par les terminaisons : **-e** (je), **-es** (tu), **-e** (il), **-ons** (nous), **-ez** (vous), **-ent** (ils).

Cas particuliers :
1 - *Infinitif terminé par -yer :* la lettre **y** devient **i** devant **e** muet : *J'essuie - tu nettoies - ils balaient.*
2 - *Infinitif terminé par -eler ou -eter :* on double **l** ou **t** devant un **e** muet : *J'appelle - tu jettes.*
Exceptions : on met **è** (et non **-ell-** ou **-ett-**) dans les verbes :
-eler : *Celer - déceler - receler - geler - congeler - dégeler - écarteler - démanteler - peler - ciseler - modeler - marteler - harceler.*
-eter : *Acheter - fureter - haleter.*
   Je cèle. J'achète.
3 - *Les accents graphiques :* c'est toujours l'orthographe originelle qui sert de guide, mais comme toujours, l'accent aigu devient un accent grave devant une syllabe contenant un **e** muet :
● **é** dans l'infinitif : *Espérer* → *j'espère* (mais : *nous espérons*) ; *répéter* → *je répète (nous répétons).*
● **e** muet dans l'infinitif : **è** devant une syllabe à **e** muet, mais pas d'accent devant une syllabe entendue : *Semer* → *je sème (nous semons); lever* → *tu lèves (vous levez); crever* → *il crève - ils crèvent (nous crevons).*

Les verbes irréguliers :
− Un verbe irrégulier dans le 1ᵉʳ groupe : le verbe **aller** : *je vais - tu vas - il va - nous allons - vous allez - ils vont.*

b) **Les verbes du 2ᵉ groupe :**
On remplace la terminaison de l'infinitif **-ir** par les terminaisons : **-is** (je), **-is** (tu), **-it** (il), **-issons** (nous), **-issez** (vous), **-issent** (ils).

Cas particuliers :
Il n'y en a pas. Seul le verbe *haïr* n'a plus de tréma aux trois personnes du singulier : *Je hais - tu hais - il hait.*

Les verbes irréguliers :
Il n'y en a pas.

c) **Les verbes du 3ᵉ groupe :**
On remplace la terminaison de l'infinitif *-ir, -oir* ou *-re* par les terminaisons : *-s* (je), *-s* (tu), *-t* ou *-d* (il), *-ons* (nous), *-ez* (vous), *-ent* (ils).

Cas particuliers :
1 - Certains verbes sont conjugués comme les verbes du 1ᵉʳ groupe :
Cueillir - ouvrir - souffrir - offrir, et tous leurs dérivés : *je cueille - tu ouvres - il souffre.*
2 - Verbes dont le radical est altéré au singulier. Ce sont les verbes terminés à l'infinitif par :
⁎ *-indre :* Ils perdent le *-d : Craindre → je crains; éteindre → tu éteins; peindre → il peint.*
⁎ *-soudre :* Ils perdent le *-d : Résoudre → je résous; dissoudre → tu dissous; absoudre → il absout.*
⁎ *-tre :* Ils perdent le *-t* aux deux premières personnes : *Battre → je bats; paraître → tu parais; mettre → il met.*
⁎ *-tir :* Ils perdent le *-t* aux deux premières personnes : *Mentir → je mens; sentir → tu sens; partir → il part.*
⁎ *-mir, -vir, -vre :* Ils perdent la dernière lettre du radical *-m* ou *-v : Dormir → je dors; servir → tu sers; suivre → il suit.*
⁎ *-evoir :* Ils perdent le groupe *-ev : Recevoir → je reçois; apercevoir → tu aperçois; concevoir → il conçoit.*
3 - Verbes dont le radical est altéré au pluriel. Ce sont les verbes terminés à l'infinitif par :
⁎ *-indre :* Les lettres *-ind-* deviennent *-gn- : Craindre → nous craignons; éteindre → vous éteignez; peindre → ils peignent.*
⁎ *-soudre :* Les lettres *-ud-* deviennent *-lv- : Résoudre → nous résolvons; dissoudre → vous dissolvez; absoudre → ils absolvent.*
⁎ *-ître : Paraître → nous paraissons; croître → vous croissez; naître → ils naissent.*
⁎ *lire, -fire, -luire :* On ajoute un *-s- : Lire → nous lisons; suffire → vous suffisez; cuire → ils cuisent.*
⁎ *-evoir :* Ils perdent le groupe *-ev-* à la 3ᵉ personne du pluriel : *Recevoir → ils reçoivent.*

Les verbes irréguliers :
Ils sont très nombreux. On se reportera au tableau général des pages 130 et suivantes, où l'on a énuméré les principaux verbes français du 3ᵉ groupe, en les classant selon la terminaison de leur infinitif (*-ir, -oir, -re*), et, pour chacune de ces catégories, dans l'ordre alphabétique. On consultera également les tableaux de conjugaison des deux verbes auxiliaires *être* et *avoir.*

2 **EMPLOIS :**

a) **Emploi principal :**
Le présent indique que l'action exprimée par le verbe est *en cours au moment où l'on parle :*
> Je cherche *la rue Sherbrooke.* Pouvez-vous *me l'indiquer?*

b) **Autres emplois :**
En corrélation avec les compléments circonstanciels du verbe, le présent peut s'employer :

1 - Pour indiquer une action *qui a commencé dans le passé, et qui se continue* dans le présent (en corrélation avec *depuis, voici, voilà, il y a, cela fait*) :
> Mon frère habite *l'Alberta* depuis *cinq ans.*
>
> Voilà *cinq ans que*
> Il y a *cinq ans que* } *mon frère* habite *l'Alberta.*
> Cela fait *cinq ans que*

2 - Pour indiquer une action *qui se répète* régulièrement, et qui ne peut donc être située exclusivement dans le passé, le présent ou le futur (en corrélation avec des tournures comme : *tous les jours, chaque jour, le samedi, trois fois par semaine,* etc.).
> Tous les soirs
> Chaque soir } *mes parents* regardent *la télévision.*
> Le soir

3 - Pour indiquer *un fait de portée et de valeur très générales,* qui demeure vrai en permanence (présent de vérité générale), et qui déborde donc très largement du présent sur le passé et sur l'avenir :
> On a *toujours besoin d'un plus petit que soi.*
> Tous les hommes sont exposés *à la maladie.*
> La guerre est *un fléau abominable.*

4 - Pour indiquer *un passé proche,* dans le cas d'un verbe exprimant l'idée de mouvement (*arriver, partir, revenir, rentrer,* etc., et en corrélation avec des tournures comme : *à l'instant, il y a deux minutes, tout juste*).

> *Vous allez le rattraper :* il part tout juste
> à l'instant

5 - Pour indiquer *un futur proche* (en corrélation avec des tournures exprimant le proche avenir comme : *dans deux heures, dans un instant, dans quelques minutes, tout de suite, tout à l'heure, bientôt*).

> *Attendez-moi.* J'arrive tout de suite.
> *Ne vous impatientez pas.* Je *vous* rends *ce livre* dans cinq minutes.
> *Dépêchez-vous. L'avion* décolle dans deux heures.
> *Nous* passons *nos* prochaines *vacances en Gaspésie.*

C'est à cet emploi que l'on peut rattacher le présent qui, *dans une proposition subordonnée hypothétique introduite par si,* entre en corrélation avec un futur simple dans une proposition principale :

> *Si* vous *le* désirez, *je pourrai vous présenter à Monsieur Dupont.*

6 - Pour indiquer une action qui s'est déroulée dans un passé plus ou moins lointain, *à l'intérieur d'une narration qui cherche à faire revivre,* dans le présent de la parole, des événements racontés (présent historique, ou *présent de narration*) :

> *La nuit tombait. Nous étions tous rassemblés autour de la table familiale. Personne ne parlait plus. Soudain, trois coups* résonnent *à la porte, et l'on* entend *une voix qui* crie : *« Ouvrez! » Mon père se lève... Aujourd'hui encore, je me rappelle l'éclair d'inquiétude qui a alors traversé les yeux de ma mère.*

Le présent de l'indicatif est donc d'un emploi extrêmement large et souple. A la limite, il peut remplacer n'importe quelle autre forme de l'indicatif, pourvu que les compléments du verbe indiquent l'époque de l'action.

B *LE PASSÉ COMPOSÉ*

1 FORMES :

Tous les temps composés des verbes sont formés avec le *participe passé* précédé de l'auxiliaire *avoir* ou de l'auxiliaire *être*.
Passé composé : Présent de l'auxiliaire + participe passé du verbe conjugué.

J'ai déjeuné	*je suis tombé.*
Tu as déjeuné	*tu es tombé.*
Il a déjeuné	*il est tombé.*
Nous avons déjeuné	*nous sommes tombés.*
Vous avez déjeuné	*vous êtes tombés.*
Ils ont déjeuné	*ils sont tombés.*

Pour les formes et pour l'accord du participe passé, voir ci-dessous, pp. 82-85.
La plupart des verbes forment leur passé composé avec l'auxiliaire *avoir.*
Ceux qui le forment avec l'auxiliaire *être* sont :

* Tous les verbes pronominaux :
    Se lever   *je me suis levé.*
    S'évanouir *il s'est évanoui*
    S'enfuir   *nous nous sommes enfuis.*

* Quelques verbes intransitifs : *Aller, venir* et ses dérivés ; *entrer, sortir ; arriver, partir ; naître, mourir ; rester, demeurer, tomber, passer,* etc.
    Il est né *en 1955.* Il est resté *dix ans dans cette ville.*

Certains verbes conjugués normalement avec *être* peuvent se conjuguer avec *avoir* dans un emploi particulier, transitif (voir ci-dessus, p. 45, II).
    Je suis sorti *à midi.*
mais : Avez-vous sorti *la poubelle?*
    Nous sommes passés *en Abitibi cet été.*
mais : Nous avons passé *la frontière.*

2 **EMPLOIS :**

a) **Emploi principal :**

Le passé composé indique une action achevée. Il s'agit généralement d'*une action achevée au moment où l'on parle.* Le passé composé est ainsi en relation directe avec le présent.

> Vous avez voyagé *toute la journée? Vous devez être fatigué.*

Dans la conversation courante, on l'emploie fréquemment pour situer *une action dans le passé.* L'époque exacte est précisée alors par les compléments du verbe.

> *Hier,* nous avons visité *le Parc Olympique.*
> *La première guerre mondiale* a éclaté *en 1914.*

Le contexte indique également quelle a été la durée de l'action et si elle s'est répétée ou non. De toute manière, l'emploi du passé composé implique une durée dont les limites sont *définies* par le contexte.

> *L'année dernière,* nous sommes allés *tous les dimanches à la campagne.*
> *Hier,* il a plu *toute la journée.*

b) **Autres emplois :**

En corrélation avec un complément faisant référence à un avenir plus ou moins proche, le passé composé indique une action qui sera achevée au moment considéré. Il remplace alors le futur antérieur.

> *Attendez-moi. Dans cinq minutes* j'ai mangé (= j'aurai mangé).

En particulier, après *si,* dans une proposition subordonnée hypothétique dépendant d'une principale au futur, on emploie le passé composé à l'exclusion du futur antérieur :

> *Si la température n'*a pas remonté *d'ici vingt-quatre heures, les arbres fruitiers seront perdus.*

C *LE PASSÉ SURCOMPOSÉ*

1 FORMES

Passé composé de l'auxiliaire + participe passé du verbe conjugué.

Seuls les verbes conjugués avec *avoir* ont un passé surcomposé.

2 EMPLOIS :

Lorsqu'on a besoin d'indiquer qu'une action s'est trouvée *achevée à un moment qui est lui-même désigné par un passé composé* (donc, le plus souvent, que cette action s'est déroulée antérieurement au moment considéré), on emploie le passé surcomposé. Cette forme s'emploie *en corrélation avec le passé composé* :

> *Deux heures après que le chirurgien m'*a eu opéré, *il m'a ordonné de me lever et de faire quelques pas dans ma chambre.*

D *LE PASSÉ PROCHE*

La tournure *venir de* + *infinitif* indique une action qui s'est réalisée *immédiatement avant le moment où l'on parle,* et dont les conséquences se prolongent dans le présent :

> *Je viens de le rencontrer au coin de la rue. Vous avez une chance de le rattraper.*
> *Je suis heureux de t'annoncer que ma sœur* vient de passer *avec succès son baccalauréat.*

E *LE FUTUR SIMPLE*

1 FORMES :

a) **La terminaison :**
Elle est la même pour tous les verbes :
-rai, -ras, -ra, -rons, -rez, -ront.

b) **La formation :**
1) **Verbes du 1er groupe :**
Radical du verbe + *-erai, -eras, -era, -erons, -erez, -eront.*
> *Je chanterai - tu parleras - il lancera.*

Cas particuliers :

✳ Terminaison *-yer* : le *-y-* est remplacé par *-i-*.

Je nettoierai - tu paieras - nous essuierons.

Exception : **Envoyer** *: -oye-* devient *-er-* : *j'enverrai.*

✳ Terminaison *-eler, -eter :* l'avant-dernière syllabe, qui contient à l'infinitif un *e* muet, se prononce au présent de l'indicatif avec le son *è* (*-ell-, -ett-, -èt-*) :

J'appellerai - je jetterai - j'achèterai.

✳ **Aller : J'irai, tu iras, il ira, nous irons, vous irez, ils iront.**

Verbes du 2ᵉ groupe :

Radical du verbe + **-irai, -iras, -ira, -irons, -irez, -iront.**

Je finirai - tu grandiras - il surgira.

Cas particuliers :

Pas de verbe particulier. **Haïr :** toujours *-ï-.*

Verbes du 3ᵉ groupe :

Deux formations selon la terminaison :

✳ Infinitif *-ir :* Radical + **-irai, -iras, -ira, -irons, -irez, -iront.**

Je partirai - tu sortiras - il ouvrira.

✳ Infinitif *-oir, -re :* on enlève la terminaison de l'infinitif et on la remplace par les terminaisons :

-rai, -ras, -ra, -rons, -rez, -ront.

Je devrai - je recevrai - je prendrai - je mettrai.

Cas particuliers :

✳ **Cueillir** est le seul verbe conjugué comme les verbes du 1ᵉʳ groupe : *Je cueillerai.*

✳ Dans **courir, mourir, acquérir,** et tous leurs dérivés, le *-r-* est doublé et devient : *-rr-* :

Je courrai - je mourrai - j'acquerrai.

✳ Beaucoup des verbes qui sont irréguliers au présent se conjuguent normalement au futur :

Je craindrai - je coudrai - je cuirai - je lirai.

Il reste :

	Être	**Avoir**	**Faire**
	Je serai	*J'aurai*	*Je ferai*
	Nous serons	*Nous aurons*	*Nous ferons*
Savoir	**Pouvoir**	**Vouloir**	**Valoir**
Je saurai	*Je pourrai*	*Je voudrai*	*Je vaudrai*
Nous saurons	*Nous pourrons*	*Nous voudrons*	*Nous vaudrons*
	Voir	**Tenir**	**Venir**
	Je verrai	*Je tiendrai*	*Je viendrai*
	Nous verrons	*Nous tiendrons*	*Nous viendrons*

(Voir les tableaux de conjugaison, ci-après, pp. 130 et suivantes.)

2 EMPLOIS :

a) Emploi principal :

Le futur simple indique une action dont on considère la réalisation comme **certaine dans l'avenir.**

> *Cette année,* je terminerai *mes études. Puis* je partirai *pour un voyage d'études aux États-Unis.* Je reviendrai *au Québec dans deux ans.*

b) Autres emplois :

1 - En corrélation avec le contexte et surtout avec la 2e personne, le futur peut prendre une valeur d'ordre :

> *Pierrot, en sortant de l'école,* tu passeras *chez le boulanger, et* tu me rapporteras *un kilo de pain.*

2 - Le futur peut même prendre une valeur hypothétique, en présentant une action ou un état, non pas comme devant se réaliser dans l'avenir, mais comme étant probablement en cours au moment où l'on parle :

> *Jacques ne répond pas à mes lettres.*Il sera *malade...*

Cette tournure, toutefois, est assez rare. On emploie plus couramment le présent, avec l'adverbe **peut-être**, ou **sans doute.**

F LE FUTUR ANTÉRIEUR

1 FORMES :

Le futur antérieur est formé avec le futur simple de l'auxiliaire **avoir** ou de l'auxiliaire **être**, et le participe passé du verbe. Pour le choix de l'auxiliaire, voir page 57.

J'aurai déjeuné	*je serai parti.*
Tu auras déjeuné	*tu seras parti.*
Il aura déjeuné	*il sera parti.*
Nous aurons déjeuné	*nous serons partis.*
Vous aurez déjeuné	*vous serez partis.*
Ils auront déjeuné	*ils seront partis.*

2 EMPLOIS :

a) Emploi principal :

Le futur antérieur indique **une action achevée à un moment donné du futur,** qui est lui-même exprimé à l'aide du futur simple. **Achèvement** et **antériorité** sont le plus souvent mêlés.

C'est une forme qui fonctionne en corrélation avec le futur simple, et qu'on trouve fréquemment dans une proposition subordonnée introduite par **quand, lorsque, après que, dès que** .

Le bateau accostera à huit heures. A neuf heures nous en aurons fini avec les formalités de débarquement, et quelques instants plus tard nous serons dans notre hôtel.

*Dès que j'*aurai vendu *ma voiture, je m'*achèterai *une familiale.*

Le futur antérieur peut aussi être employé en corrélation avec l'impératif :

Dès que le feu sera passé *au vert, démarre et accélère.*

b) **Autres emplois :**

* Avec un contexte approprié, le futur antérieur peut prendre une **valeur hypothétique,** et présenter une action ou un état non pas comme devant être réalisés à un moment donné de l'avenir, mais comme s'étant probablement réalisés dans un moment antérieur au moment où l'on parle. Le futur antérieur est alors souvent accompagné de **peut-être,** de **sans doute**, ou de **probablement.**

Nos invités sont bien en retard. Ils auront manqué leur train.

Françoise ne répond pas au téléphone. Elle sera sans doute sortie.

G *LE FUTUR PROCHE*

La tournure **aller + infinitif** indique une action qui se réalisera dans un **avenir très proche,** ou qui en tout cas est posée comme se trouvant dans la continuité immédiate du moment où l'on parle.

Je vais *maintenant vous* expliquer *ce dont il s'agit.*

Jacques va se marier *la semaine prochaine.*

Par opposition à **aller + infinitif**, qui présente l'action comme certaine, **devoir + infinitif** la présente seulement comme probable, et ne prend une valeur de futur proche que dans certains contextes (dans les autres, cette tournure garde le sens de : être obligé de) :

Nos cousins de la Côte-Nord doivent venir *nous rendre visite cet été. J'espère qu'ils n'auront aucun empêchement.*

H L'IMPARFAIT

1 FORMES :

a) **La terminaison :**
Elle est la même pour tous les verbes : *-ais, -ais, -ait, -ions, -iez, -aient.*

b) **La formation :**

1) **Les verbes du 1er groupe :**
Radical du verbe + *-ais, -ais, -ait, -ions, -iez, -aient.*
    Je chantais - nous parlions.

Cas particuliers :
1 - Terminaison *-yer :* on écrit *-yi-* aux deux dernières personnes du pluriel : *Nous balayions - vous nettoyiez.*
2 - Terminaison *-ier :* on écrit *-ii-* aux deux dernières personnes du pluriel : *Nous criions - vous liiez.*
3 - Terminaison *-iller, -gner :* la prononciation est presque la même qu'au présent, mais l'orthographe diffère :
    Nous habillons - nous habillions.
    Vous soignez - vous soigniez.
4 - Terminaisons *-eler, -eter :* pas d'accent, pas de consonne double, car il n'y a pas de terminaison muette :
    J'appelais - j'achetais.
5 - Le verbe ***aller*** est de formation régulière : *J'allais - tu allais - il allait - nous allions - vous alliez - ils allaient.*

2) **Les verbes du 2e groupe :**
Radical + *-issais* (suffixe *-iss-* et terminaison d'imparfait *-ais*) :
    Je finissais - nous grandissions.
3) **Les verbes du 3e groupe :** Mêmes particularités qu'au pluriel du présent, à toutes les personnes.

Cas particuliers :
1 - Terminaison *-indre :* On enlève *-nd-* pour mettre *-gn- : Je craignais - nous plaignions - vous éteigniez.*
2 - Terminaison *-soudre :* On enlève *-ud-* pour mettre *-lv- : Tu absolvais - vous dissolviez - ils résolvaient.*
3 - Terminaison *-ître :* le *-ˆt* devient *-ss- : Je paraissais - tu naissais - il croissait - nous apparaissions.*
4 - Terminaisons *-uire, -lire, -fire :* On ajoute *-s- : Je lisais - tu cuisais - il suffisait - nous élisions - vous instruisiez.*

Les verbes irréguliers :
1 - Certains verbes, irréguliers au présent, ne le sont plus à l'imparfait, et sont conjugués normalement. Ce sont : *être - avoir - tenir - venir - acquérir - bouillir - mourir - mouvoir - pouvoir - vouloir - valoir - savoir - recevoir - devoir.*
2 - Les autres verbes, toujours irréguliers, ont les mêmes irrégularités qu'au présent, mais à toutes les personnes.
Les principales sont les suivantes :
— Changement de forme du radical :
Boire (je buvais), *coudre* (je cousais), *moudre* (je moulais), *vaincre* (je vainquais).
— Addition d'un *-s-* au radical :
Dire (je disais), *faire* (je faisais), *plaire* (je plaisais), *taire* (je taisais).
— Addition de *-ss- : bruire* (je bruissais); de *-v- : écrire* (j'écrivais); *-y- : asseoir* (j'asseyais).
— Suppression de *-d-* :
Prendre (je prenais).
— Changement de *-i-* en *-y-* :
Croire (je croyais), *voir* (je voyais), *fuir* (je fuyais), *traire* (je trayais).

2 **EMPLOIS :**

a) **Emploi principal :**
L'imparfait indique une *action en cours dans le passé,* sans limites définies de durée. Tandis que le présent évoque l'idée exprimée par l'adverbe *maintenant*, l'imparfait évoque l'idée exprimée par l'adverbe *alors*. Il permet de présenter l'action comme contemporaine d'un moment du passé.

Hier, j'ai déjeûné à 8 heures. (passé composé)   Il pleuvait. (imparfait)
Aujourd'hui, je déjeune encore. (présent)   Mais il ne pleut plus. (présent)

Pendant la crise, les Montréalais manquaient de nourriture.
Les parents de Jacques se sont alors réfugiés à la campagne, où l'on vivait mieux.

b) **Autres emplois :**
Selon le contexte (en particulier selon les adverbes et les compléments circonstanciels), l'imparfait peut créer des effets de sens variés qui ont un trait commun : l'action désignée n'est pas actuelle, n'est pas en cours au moment où l'on parle.

Il peut s'employer :

1 - Pour indiquer **une action qui s'est répétée régulièrement dans le passé,** sans limites de durée :
> *L'an dernier*, je dînais *tous les samedis au restaurant.*

2 - Pour indiquer **les circonstances,** et notamment le décor d'un événement raconté au passé composé ou au passé simple. C'est ce qui fait que l'imparfait est un **temps descriptif** par excellence :
> *La neige* était *abondante.* Il faisait *froid mais le soleil* brillait. *Nous avons pris nos skis et nous sommes partis.*

3 - Pour indiquer une situation passée au sein de laquelle s'est produit soudain un événement remarquable :
> *Robert* était *au collège lorsque son père s'est tué en auto. Sa mère* était *pauvre. Il a dû interrompre ses études.*

4 - Pour indiquer, dans une série d'événements, une phase qui y prend place sans que la phase immédiatement antérieure soit évoquée explicitement (imparfait « **pittoresque** » ou **de rupture**) :
> *L'avion transportant le petit malade s'est posé à Mirabel à dix heures. Une ambulance était là. Un quart d'heure plus tard, les chirurgiens* opéraient *l'enfant, que cette rapidité a sauvé.*

5 - Après **si,** et **en corrélation avec le conditionnel présent** dans la proposition principale, pour présenter comme hypothétique l'action exprimée par le verbe :
> Si *les conducteurs* étiez *plus raisonnables, il y aurait moins d'accidents sur la route.*

6 - Après **si,** sans proposition principale exprimée, pour exprimer le **souhait** (en corrélation avec le ton) :
> *Si seulement les vacances* étaient *proches !*

7 - Pour **atténuer une affirmation** que le présent rendrait trop catégorique et trop vive pour les circonstances :
> Imparfait de politesse : *Excusez-moi, monsieur, de vous déranger. Je* venais [et non je viens] *vous demander un congé de huit jours.*
> Imparfait de remontrance affectueuse : [La maman à son fils] : *Ah!* il n'était *pas gentil, ce matin, mon petit garçon !*

A noter :

La concordance des temps exige qu'un verbe subordonné, qui serait au présent si le verbe principal était au présent, se mette à l'imparfait si le verbe principal est un temps du passé :

Il me raconte qu'il ne se couche jamais avant minuit.
Il m'a raconté qu'il ne se couchait jamais avant minuit.
[Même si cette habitude demeure au moment où je prononce cette phrase].

❶ LE PLUS-QUE-PARFAIT

▮ FORMES :

Le plus-que-parfait est formé avec l'imparfait de l'auxiliaire *avoir* ou de l'auxiliaire *être*, et le participe passé du verbe conjugué.
Pour le choix de l'auxiliaire, voir page 57.

J'avais déjeuné	*j'étais tombé.*
Tu avais déjeuné	*tu étais tombé.*
Il avait déjeuné	*il était tombé.*
Nous avions déjeuné	*nous étions tombés.*
Vous aviez déjeuné	*vous étiez tombés.*
Ils avaient déjeuné	*ils étaient tombés.*

▮ EMPLOIS :

a) **Emploi principal :**

Le *plus-que-parfait* indique une *action achevée, antérieure à un moment du passé* (qui peut être désigné soit par le passé composé, soit par l'imparfait).

Lorsque Cartier débarqua à Gaspé, des Européens avaient déjà visité *les côtes d'Amérique.*

Comme l'été avait été *très sec, toutes les sources étaient taries.*

b) **Autres emplois :**

1 - **En corrélation** avec une proposition contenant un imparfait « d'habitude » (voir p. 65, § 1), le plus-que-parfait peut lui-même indiquer une action habituelle :

A cette époque-là, tous les soirs, quand mon père avait terminé *sa journée de travail, il passait quelques instants à jouer avec nous.*

2 - **Après si**, et en corrélation avec une proposition principale contenant un conditionnel passé, le plus-que-parfait indique une action qui a été possible à un moment donné du passé, mais qui ne s'est pas réalisée (**irréel du passé**) :

Si Montcalm n'avait *pas* été *surpris sur les Plaines d'Abraham, Québec aurait résisté plus longtemps.*

Si vous aviez mieux travaillé, *vous auriez été reçu à votre examen.*

3 - Le plus-que-parfait peut prendre également cette valeur d'irréel du passé dans des phrases du type :

Les pompiers sont arrivés à temps. Quelques minutes de plus, et toute la maison avait brûlé. [S'ils avaient tardé quelques minutes de plus, toute la maison aurait brûlé].

4 - Il résulte de ces emplois avec valeur d'irréel que le plus-que-parfait, après **si**, en corrélation avec le ton de la phrase, peut exprimer le regret de ce qui n'a pas été possible :

Si j'avais su *!*

Si seulement vous étiez venu *hier !*

J *LE CONDITIONNEL SIMPLE* (ou conditionnel « présent »)

1 FORMES :

a) **La terminaison :**

Elle est la même pour tous les verbes :
-rais, -rais, -rait, -rions, -riez, -raient.

b) **La formation :**
Elle est rigoureusement parallèle à celle du futur simple. Il suffit de remplacer les terminaisons du futur : **-rai** par **-rais,** **-ras** par **-rais,** **-ra** par **-rait, -rons** par **-rions,** **-rez** par **-riez,** **-ront** par **-raient.**
Les cas particuliers sont donc les mêmes qu'au futur simple, pour les trois groupes (voir ci-dessus, p. 60).

2 EMPLOIS :

a) **Emploi principal :**
Comme le futur est le symétrique du passé composé par rapport au présent, le conditionnel présent est le symétrique du plus-que-parfait par rapport à l'imparfait. Comme ces deux temps, c'est une forme qui présente l'action comme non actuelle.

1 - Il indique une ***action ultérieure à un moment du passé*** qui est désigné par le passé composé ou l'imparfait :
> *Lorsque je lui ai demandé ce qu'il comptait faire, Robert m'a répondu qu'il* s'engagerait *dans l'armée.*
> *Lorsque j'étais enfant, je disais à mes parents que je me* ferais *plus tard médecin.*

L'emploi du conditionnel est alors parallèle à celui du futur. On passe de la corrélation présent-futur à la corrélation passé composé ou imparfait-conditionnel :

> *Je dis que je me ferai médecin.*
> *Je disais que je me ferais médecin.*

C'est la raison pour laquelle on appelle parfois le conditionnel : futur dans le passé.

2 - Le conditionnel indique d'autre part une ***action éventuelle soumise à condition,*** dont la réalisation n'est pas considérée comme certaine. Il a alors la valeur d'un ***futur incertain.*** La condition est généralement exprimée par une proposition subordonnée introduite par ***si*** et dont le verbe est à l'imparfait (voir p. 65, § 5).
> *Si tu voulais bien t'associer avec moi,* nous ferions *d'excellentes affaires.*

3 - La valeur d'éventualité incertaine subsiste lorsque le conditionnel est employé dans une proposition subordonnée introduite par ***au cas où, pour le cas où*** :
> *Pour le cas où vous auriez mal à la tête, je vous laisse deux cachets d'aspirine.*

b) Autres emplois :

1 - Le conditionnel, sans corrélation avec une proposition subordonnée hypothétique, indique une ***action dont on ne peut affirmer la réalité,*** qui est donnée seulement comme un on-dit, sur laquelle il subsiste des doutes :

> *Ce pays, selon les journalistes,* serait *au bord de la révolution.*

2 - En corrélation avec ***bien, volontiers,*** le conditionnel peut ajouter à l'expression de l'action éventuelle non certaine une nuance de ***souhait*** :

> Je donnerais *bien cent dollars pour en savoir plus long.*
> J'irais *volontiers au théâtre ce soir.*

3 - On comprend, d'après ce qui précède, qu'avec certains verbes le conditionnel permette de substituer à des tours plus catégoriques une affirmation atténuée :

> *Je voudrais bien, j'aimerais bien, etc.*
> *On pourrait dire, je dirais volontiers que, etc.*
> *Vous devriez changer de vêtements.*

K *LE CONDITIONNEL COMPOSÉ* (ou conditionnel « passé »)

1 FORMES :

Le conditionnel composé est formé avec le conditionnel simple de l'auxiliaire ***avoir*** ou de l'auxiliaire ***être***, et le participe passé du verbe conjugué.
Pour le choix de l'auxiliaire, voir page 57.

J'aurais déjeuné	*je serais tombé.*
Tu aurais déjeuné	*tu serais tombé.*
Il aurait déjeuné	*il serait tombé.*
Nous aurions déjeuné	*nous serions tombés.*
Vous auriez déjeuné	*vous seriez tombés.*
Ils auraient déjeuné	*ils seraient tombés.*

2 EMPLOIS :

a) **Emploi principal :**

1 - Le conditionnel passé indique une ***action achevée, antérieure à un moment qui est désigné par le conditionnel présent.*** Il est, par rapport au conditionnel présent, ce qu'est le futur antérieur par rapport au futur simple. On l'appelle parfois : futur antérieur dans le passé.

> *Jeanne m'a dit qu'elle viendrait nous rendre visite lorsque* nous aurions installé *notre nouvel appartement.*

2 - Le conditionnel passé indique d'autre part une action qui aurait pu se réaliser dans le passé, mais qui ne s'est pas réalisée parce que cette réalisation dépendait elle-même d'une condition qui ne s'est pas accomplie (***irréel du passé***). Le conditionnel passé appartient alors généralement à une proposition principale qui est en corrélation avec une proposition subordonnée contenant un verbe au plus-que-parfait (voir p. 67, § 2).

> *Si nos valises avaient été plus lourdes,* j'aurais appelé *un taxi.*

b) **Autres emplois :**

1 - Comme le conditionnel présent, le conditionnel passé peut également servir pour exprimer une ***affirmation incertaine relative à un fait passé*** :

> *Selon certaines informations, la police* aurait arrêté *les bandits qui attaquèrent le train postal.*

2 - De même, le conditionnel passé, dans certains contextes, peut exprimer le ***regret,*** ou l'***affirmation atténuée*** :

> Je serais bien sorti *ce soir. Mais il était trop tard.*

> J'aurais voulu *m'entretenir un instant avec vous, Monsieur.*

L LE PASSÉ SIMPLE

1 FORMES :

a) **La terminaison :**
Elle varie avec les groupes, mais elle a toujours, aux 1re et 2e personnes du pluriel, un accent circonflexe.

b) **La formation :**
1. **Verbes du 1er groupe :**
Radical + **-ai, -as, -a, -âmes, -âtes, -èrent**.
  Je parlai - tu jouas - il chanta.

Cas particuliers :
● Terminaisons **-cer** ou **-ger** : **-ç-** ou **-ge-** devant **-a**.
  Je pinçai - tu changeas - il effaça - nous rangeâmes.
● Terminaison **-guer** ou **-guer** : le **-u-** fait partie du radical.
  Je naviguai - tu fabriquas - il distingua - nous risquâmes.
● Terminaison **-eler** ou **-eter** : pas de terminaison muette, donc pas de **-e-** dans le radical.
  Je pelai - tu achetas - il appela.

2. **Verbes du 2e groupe :**
Radical + **-is, -is, -it, -îmes, -îtes, -irent**.
  Je finis - tu grandis - nous obéîmes.

3. **Verbes du 3e groupe :**
3 terminaisons possibles au passé simple :
● **-is, -is, -it, -îmes, -îtes, -irent :**
Verbes terminés à l'infinitif par :
  -dre (sauf **moudre** et **résoudre**). **Craindre :** *je craignis.*
  -tre (sauf les verbes terminés par **-être**). **Mettre :** *je mis.*
  -uire : Conduire : *je conduisis.*
  -ir (sauf **courir** et **mourir, tenir** et **venir**). **Sortir :** *je sortis.*
  -ire (sauf **lire, faire**). **Rire :** *je ris.*
De plus, les verbes **voir, asseoir, suivre** : *je vis, je m'assis, je suivis.*
● **-us, -us, -ut, -ûmes, -ûtes, -urent.**
Verbes terminés à l'infinitif par :
  -être (sauf **naître**). **Paraître :** *je parus.*
  -oir. Apercevoir : *j'aperçus.*
De plus, **moudre, résoudre, courir, mourir, lire**, etc. : *Je résolus, tu courus, il mourut.*

● **-ins, -ins, -int, -înmes, -întes, -inrent.**
Verbes **tenir**, **venir** et tous leurs composés :
   — *Je tins - tu tins - il tint - nous tînmes - vous tîntes - ils tinrent.*

Cas particuliers :
● Terminaison **-indre** : on enlève **-nd-** pour mettre **-gn-** :
   Je joignis - tu joignis - il éteignit.
● Terminaison **-uire** avec passé simple en **-is** : on ajoute **-s-** :
   Je construisis - tu cuisis - il luisit.
● Quelques verbes (défectifs) ne se conjuguent pas au passé simple :
   — **Poindre - absoudre** et **dissoudre.**
   — **Bruire - frire.**
   — **Braire - distraire - traire.**
   — **Clore**, etc.

Verbes irréguliers :

Faire	**Voir**	**Écrire**	**Vaincre**
Je fis	*Je vis*	*J'écrivis*	*Je vainquis*
Nous fîmes	*Nous vîmes*	*Nous écrivîmes*	*Nous vainquîmes*
Naître	**Mettre**	**Prendre**	**Acquérir**
Je naquis	*Je mis*	*Je pris*	*J'acquis*
Nous naquîmes	*Nous mîmes*	*Nous prîmes*	*Nous acquîmes*
S'asseoir	**Coudre**	**Être**	**Avoir**
Je m'assis	*Je cousis*	*Je fus*	*J'eus*
Nous nous assîmes	*Nous cousîmes*	*Nous fûmes*	*Nous eûmes*
Vivre	**Savoir**	**Pouvoir**	**Devoir**
Je vécus	*Je sus*	*Je pus*	*Je dus*
Nous vécûmes	*Nous sûmes*	*Nous pûmes*	*Nous dûmes*
	Recevoir	**Résoudre**	**Moudre**
	Je reçus	*Je résolus*	*Je moulus*
	Nous reçûmes	*Nous résolûmes*	*Nous moulûmes*

2 EMPLOIS :

Le passé simple et le passé antérieur n'appartiennent pas à la conjugaison du verbe telle qu'elle fonctionne dans la conversation courante.

1. Le passé simple est une **forme de substitution au passé composé, dans la narration impersonnelle et littéraire** racontant

des événements avec lesquels le moment où l'on parle a perdu toute relation de continuité. On le trouve notamment dans la narration historique, le fait-divers, le reportage écrit, etc.

> *Maurice Richard* fut *le plus célèbre joueur de hockey des années 50.*

> *Lorsque les coureurs* arrivèrent *dans la montagne, le peloton* s'étira, *et* on assista *aux premiers abandons.*

2. On dit parfois que le passé simple n'indique que des actions isolées, ponctuelles, et de durée mesurable. Ce n'est pas exact. Le passé simple peut concourir à l'expression de la répétition et de la durée, à condition qu'il soit associé à un complément circonstanciel impliquant une durée définie.

> *Il* demeura *prisonnier pendant trois mois.*

> *Les sauveteurs* explorèrent *la montagne tous les jours pendant deux semaines.*

Ⓜ *LE PASSÉ ANTÉRIEUR :*

1 FORMES :

Le passé antérieur est formé avec le passé simple de l'auxiliaire *avoir* ou de l'auxiliaire *être* et le participe passé du verbe. Pour le choix de l'auxiliaire, voir page 57.

J'eus déjeuné	*je fus sorti.*
Tu eus déjeuné	*tu fus sorti.*
Il eut déjeuné	*il fut sorti.*
Nous eûmes déjeuné	*nous fûmes sortis.*
Vous eûtes déjeuné	*vous fûtes sortis.*
Ils eurent déjeuné	*ils furent sortis.*

2 EMPLOIS :

Le passé antérieur indique une **action achevée antérieure à un moment du passé exprimé par le passé simple.** Il ne peut être employé qu'en corrélation avec un passé simple.

> *Quand* il eut poussé *la porte, il se trouva dehors.*

> *Quand* il eut achevé *son discours, des applaudissements* éclatèrent.

LE SUBJONCTIF

FORMES

 SUBJONCTIF PRÉSENT

1 VERBES DU 1ᵉʳ GROUPE :

Mêmes terminaisons que pour l'indicatif présent, sauf aux deux premières personnes du pluriel, qui se forment en **-ions** et **-iez.**
> *Que nous aimions.*

Cas particulier. Le verbe **aller.**
> *Que j'aille - que tu ailles - qu'il aille - que nous allions - que vous alliez - qu'ils aillent.*

2 VERBES DU 2ᵉ GROUPE :

On remplace la terminaison de l'infinitif **-ir-** par les terminaisons : **-isse, -isses, -isse, -issions, -issiez, -issent.**
> *Qu'il finisse.*

3 VERBES DU 3ᵉ GROUPE :

Les terminaisons sont : **-e, -es, -e, -ions, -iez, -ent.**
Mais les radicaux subsistent, à partir de l'infinitif, des transformations diverses. Voici les principales :

Verbes en **-ir** :	radical sans changement.
	Ouvrir → *que j'ouvre.*
Verbes en **-voir** :	subjonctif en **-oive** :
	Apercevoir → *que j'aperçoive.*
Verbes en **-indre** :	subjonctif en **-igne** :
	Craindre → *que je craigne.*
	Peindre → *que je peigne.*
Verbes en **-aître** :	subjonctif en **-aisse** :
	Connaître → *que je connaisse.*
Verbes en **-soudre** :	subjonctif en **-solve** :
	Dissoudre → *que je dissolve.*
Verbes en **-ire** :	subjonctif en **-se** :
	Suffire → *que je suffise.*

▣ CAS PARTICULIERS :

Être :	*Que je sois, que tu sois, qu'il soit, que nous soyons, que vous soyez, qu'ils soient*
Avoir :	*Que j'aie, que tu aies, qu'il ait, que nous ayons, que vous ayez, qu'ils aient.*
Savoir :	*Que je sache, que tu saches, qu'il sache, que nous sachions, que vous sachiez, qu'ils sachent.*
Pouvoir :	*Que je puisse, que tu puisses, qu'il puisse, que nous puissions, que vous puissiez, qu'ils puissent.*
Vouloir :	*Que je veuille, que tu veuilles, qu'il veuille, que nous voulions, que vous vouliez, qu'ils veuillent.*
Valoir :	*Que je vaille, que tu vailles, qu'il vaille, que nous valions, que vous valiez, qu'ils vaillent.*

B *SUBJONCTIF IMPARFAIT*

Le subjonctif imparfait se forme à partir du passé simple de l'indicatif, avec les terminaisons suivantes : *-ai → -asse, -is → -isse, -us → -usse, -ins → -insse.*

1er *groupe*	2e *groupe*
Que j'aimasse	*Que je finisse*
Que tu aimasses	*Que tu finisses*
Qu'il aimât	*Qu'il finît*
Que nous aimassions	*Que nous finissions*
Que vous aimassiez	*Que vous finissiez*
Qu'ils aimassent	*Qu'ils finissent*

3^e groupe

Que je craignisse	*Que je connusse*	*Que je vinsse*
Que tu craignisses	*Que tu connusses*	*Que tu vinsses*
Qu'il craignît	*Qu'il connût*	*Qu'il vînt*
Que nous craignissions	*Que nous connussions*	*Que nous vinssions*
Que vous craignissiez	*Que vous connussiez*	*Que vous vinssiez*
Qu'ils craignissent	*Qu'ils connussent*	*Qu'ils vinssent*

Avoir : *Que j'eusse*, etc.   **Être :** *Que je fusse*, etc.

C *SUBJONCTIF PASSÉ*

Le subjonctif passé se forme avec le participe passé du verbe et le subjonctif présent de l'auxiliaire :

Que j'aie déjeuné   que je sois tombé.

75

D SUBJONCTIF PLUS-QUE-PARFAIT

Le subjonctif plus-que-parfait se forme avec le participe passé
du verbe et le subjonctif imparfait de l'auxiliaire :
Que j'eusse déjeuné   *que je fusse tombé.*

EMPLOIS

*Le subjonctif s'emploie surtout dans les propositions subordonnées.
Mais on peut aussi le trouver dans les propositions principales ou
indépendantes.*

A EMPLOI GÉNÉRAL DU MODE

1 LE SUBJONCTIF INDÉPENDANT :
Il s'emploie :

a) Pour exprimer l'*ordre*, le *souhait*. Il est alors précédé de
que. Il s'accompagne d'une *intonation exclamative* :
    Qu'il parte *au plus vite !*
Dans cet emploi, il remplace l'impératif à la troisième personne
(voir ci-dessous, p. 81).

b) Dans des *expressions toutes faites* (généralement sans *que*) :
— Consentement : *Soit. Qu'à cela ne tienne.*
— Souhait, prière : *Dieu soit loué. Dieu m'en préserve, Dieu vous
garde. Fasse le ciel que... Ainsi soit-il.*
— Acclamation : *Vive la république.*
— Éventualité, hypothèse : *Soit un triangle ABC. Qu'il se fasse
attendre encore un quart d'heure, et je m'en vais.*
— Jurements : *Le diable vous emporte. Que je sois pendu si
jamais je commets une pareille faute.*

2 LE SUBJONCTIF EN PROPOSITION SUBORDONNÉE :
Voir ci-dessous, pp. 115 et suivantes.

a) Subordonnées conjonctives :
Le subjonctif s'emploie après *que* ou une locution conjonctive
composée avec la conjonction *que,* dans les propositions subordonnées suivantes :

1 - *Subordonnée complétive introduite par* que, dépendant d'un verbe principal ou d'un nom exprimant la *satisfaction*, le *souhait*, le *regret*, l'*ordre*, la *défense*, la *suggestion*, le *doute*, la *possibilité*, l'*impossibilité*, l'*improbabilité*.
— *La satisfaction* : Je me réjouis que vous ayez réussi (ou : j'affirme ma joie que vous ayez réussi).
— *Le souhait* : Je souhaite qu'il soit heureux (ou : j'exprime le souhait qu'il soit heureux).
— *Le regret* : Je regrette que vous vous soyez dérangé pour rien.
— *L'ordre* : J'ordonne, j'exige que tout le monde sorte d'ici.
— *La défense* : Je défends qu'on sorte sans autorisation.
— *La supposition* : Je suppose que vous deveniez subitement riche. Que feriez-vous ?
Il semble que la situation internationale devienne moins inquiétante.
— *Le doute* : Je doute qu'il pleuve ce soir, car le ciel est clair.
— *La possibilité, l'impossibilité, l'improbabilité* : Il est possible (ou impossible, ou improbable) qu'elle soit malade.

2 - *Subordonnée complétive introduite par* à ce que dépendant des verbes : *s'attendre à, s'opposer à, se résigner à, tenir à* :
   Nous nous attendons à ce que les récoltes de cette année soient excellentes.
   Je tiens à ce que tu te réconcilies avec Jean.

3 - *Subordonnées complétives introduites par* que et dépendant de certains *verbes d'opinion à la tournure négative ou interrogative* :
   Je ne crois pas qu'il ait raison.
   Je ne pense pas qu'il ait raison.
   Je ne suis pas sûr qu'il ait raison.
   Croyez-vous qu'il ait raison ?
   Pensez-vous qu'il ait raison ?
   Êtes-vous sûr qu'il ait raison ?

4 - *Subordonnées circonstancielles introduites par les locutions conjonctives* :
— *Pour que, afin que, de sorte que, de façon que* (but) :
   Ses parents travaillent avec acharnement pour qu'il puisse continuer ses études.
— *De peur que, de crainte que* (crainte) :
   Évitez ces rochers, de peur qu'une vipère ne vous morde.
— *Avant que, jusqu'à ce que* (temps) :
   Dépêchons-nous de préparer la table avant qu'ils n'arrivent.
   Je travaillerai jusqu'à ce que j'aie réuni toutes les chances de réussir à mon examen.

— ***Bien que, quoique*** (opposition, restriction) :
  *Bien qu'*on construise *beaucoup d'immeubles, il existe encore beaucoup de mal logés à Montréal.*
— ***Pourvu que, pour peu que, à moins que*** (condition) :
  *Mon père changera de voiture l'année prochaine, à moins qu'*il n'ait *à faire face à des dépenses imprévues.*
— ***Que... ou que, soit que... soit que*** (supposition) :
  Que vous passiez par cette ville ou par l'autre, la longueur de la route est la même.
— ***Sans que, non que*** (négation) :
  Ne vous en allez pas sans que Pierre ait pu *vous serrer la main.*

A noter : Le subjonctif ne s'emploie généralement que si le verbe de la principale et le verbe de la subordonnée ne sont pas à la même personne. Dans le cas contraire, on emploie plutôt l'infinitif précédé de ***de*** (sauf avec ***pour*** et ***sans***, qui excluent ***de***) :

  Je souhaite de réussir.
  Il est parti sans se retourner.

b) Subordonnées relatives :

Le subjonctif s'emploie dans les ***subordonnées relatives déterminatives*** (voir ci-dessous p. 118) exprimant un fait dont l'existence est marquée d'un ***doute***, d'une ***supposition***, d'une ***incertitude***, d'une idée d'***éventualité indéterminée*** :

  Je cherche à acheter une maison qui ait *deux étages, mais dont le prix ne* soit *cependant pas trop élevé.*
  Avez-vous jamais rencontré un garçon qui ait *si peu de bon sens?*

B *L'EMPLOI DES TEMPS DU SUBJONCTIF*

1 LE PRÉSENT :

Le subjonctif indépendant est le plus souvent employé au présent. Le subjonctif subordonné, ***dans la langue courante***, est généralement employé au présent lorsque l'action qu'il exprime est ***contemporaine ou ultérieure*** à l'action principale, quel que soit le temps du verbe principal, présent, futur ou passé :

  Il désire qu'on le laisse en paix.

2 **L'IMPARFAIT :**

Dans la langue soutenue, on emploie le subjonctif subordonné à l'imparfait, lorsque l'action qu'il exprime est contemporaine d'une action principale elle-même exprimée par un verbe au passé :

*Il désirait qu'*on le laissât *en paix.*

3 **LE PASSÉ :**

Dans la langue courante, on emploie le subjonctif passé lorsque l'action qu'il exprime est ***antérieure*** à l'action principale, quel que soit le temps du verbe principal, présent, futur ou passé.

*Je lui pardonne bien qu'*il m'ait fait *beaucoup de mal.*

4 **LE PLUS-QUE-PARFAIT :**

Dans la langue soutenue, si le verbe principal est au passé, le verbe subjonctif désignant une action antérieure à l'action principale se met au subjonctif plus-que-parfait :

*Je lui ai pardonné, bien qu'*il m'eût fait *beaucoup de mal.*

L'IMPÉRATIF

A *FORMES*

L'impératif ne dispose que de la deuxième personne du singulier, de la première et de la deuxième personne du pluriel :

Marche
Marchons
Marchez

Ses formes sont les mêmes que celles des personnes correspondantes à l'indicatif présent, à une différence près : la deuxième personne du singulier de l'impératif des verbes en *-er* ne prend pas de **s**.

Tu marches (indicatif) mais **marche** (impératif).

Exceptions : avoir, être, et partiellement, **savoir** et **vouloir** ont à l'impératif les mêmes formes que le subjonctif :

Aie	*sois*	*sache*	*veuille.*
Ayons	*soyons*	*sachons*	*veuillons.*
Ayez	*soyez*	*sachez*	*veuillez.*

B *EMPLOIS*

1 EMPLOI GÉNÉRAL DU MODE :

L'impératif s'emploie dans les propositions principales ou indépendantes pour exprimer :

a) L'***injonction*** (ordre ou défense) :
   Allez-vous en *vite !*
   Ne stationnez *pas ici, cela est interdit.*

b) L'***exhortation*** (surtout à la 1re personne du pluriel, qui inclut celui qui parle) :
   Marchons *joyeusement.*

c) La ***suggestion*** (dans les textes publicitaires) :
   Votez *DUPONT.*

Mais on l'emploie également :

d) Avec une valeur d'***injonction atténuée***, dans des tournures toutes faites :

>Permettez ! *J'ai encore un mot à dire.*
>Veuillez *agréer, Monsieur, l'expression de mes sentiments distingués.*

e) Avec une valeur d'***acceptation***, de ***résignation :***

>Mettons ! Admettons !
>*Tu veux prendre la voiture ?* Va pour *la voiture !*

f) Dans des tournures qui servent à **susciter ou à maintenir l'attention** de l'interlocuteur, ou à exprimer diverses nuances de pensée :

>*Tiens ! Tenez !*
>*Dis. Dites.*
>*Allons. Allez.*

A noter : Lorsque l'ordre concerne un tiers, et non l'interlocuteur direct, on emploie le subjonctif :

>*Qu'ils s'éloignent.*

2 EMPLOI DES TEMPS DE L'IMPÉRATIF :

L'impératif « ***présent*** » s'emploie quand on pense à l'***action en train de se réaliser*** (dans un avenir plus ou moins proche).

>*Ne* partez *pas sans avoir fait le plein d'essence.*

L'impératif « ***passé*** » s'emploie quand on pense à l'***action achevée*** (également dans un avenir plus ou moins proche) :

>Ayez terminé *lorsque nous arriverons.*

LE PARTICIPE

Le participe est une forme qui **s'adjoint à un nom**, comme pourrait le faire une proposition relative.

Le bruit de l'avion, retentissant au-dessus du village, a effrayé mon chien.

A FORMES

1 LE PARTICIPE PRÉSENT se forme en substituant la terminaison **-ant** à la terminaison de la 1re personne du pluriel du présent de l'indicatif (**-ons**) :

Prendre → nous prenons → prenant.

2 LE PARTICIPE PASSÉ a des terminaisons différentes selon le groupe auquel appartient le verbe. Voici les principales formations :

a) **Verbes du 1er groupe :**
Ils ont tous la même terminaison : **-er →-é.**
Parler →j'ai parlé.

b) **Verbes du 2e groupe :**
Ils ont tous la même terminaison : **-ir → -i**
Finir → j'ai fini.

c) **Verbes du 3e groupe :**
Les terminaisons sont très variées :

1. **Infinitif à terminaison -ir →-i.** *Sentir : j'ai senti.*
Exceptions : ✳ **offrir - souffrir - ouvrir,** où **-rir → -ert** : *j'ai ouvert ;*
✳ **tenir - venir - courir - vêtir,** où **-ir →-u** : *j'ai tenu ;*
✳ **mourir → mort - acquérir →acquis.**

2. **Infinitif à terminaison -oir → -u.** *Voir : j'ai vu. J'ai pu, j'ai reçu, j'ai su, j'ai dû, j'ai eu.*
Exception : **asseoir →assis.**

3. *Infinitif à terminaison -re* → *-u*. *Perdre : j'ai perdu.*

Cas particuliers :
-re → *-t* : *conduire - construire - cuire - confire - écrire - dire*
et *faire* : *j'ai écrit - j'ai dit.*
Formations en *-is, -i* : *mettre* → *mis; prendre* → *pris;*
suivre → *suivi; rire* → *ri.*
Luire - nuire : *j'ai lui - j'ai nui.*

Verbes irréguliers : coudre → *cousu; naître* → *né; vaincre* →
vaincu; être → *été; absoudre, dissoudre* → *absous, dissous* (au
féminin *absoute, dissoute*).

A noter : tous les verbes contenant ces verbes suivent les
mêmes règles sauf *renaître*, qui n'a pas de participe passé.

CLASSIFICATION PAR TERMINAISONS :

Terminaisons é :
— Verbes du 1er groupe + *naître* (*né*), *être* (*été*).

Terminaison i :
— Verbes du 2e groupe.
— Verbes du 3e groupe terminés par *-ir*, sauf : *offrir - souffrir -*
ouvrir → *-ert, j'ai ouvert; tenir - venir - courir - vêtir* → *-u, j'ai*
couru; mourir (*mort*), *acquérir* (*acquis*); *rire - luire - nuire* - *j'ai*
ri, j'ai lui, j'ai nui.

Terminaison u :
— Tous les verbes terminés par *-oir* sauf *asseoir* (*assis*).
— Les verbes réguliers terminés par *-re* sauf *rire - mettre -*
prendre.
— Les verbes irréguliers dont le passé simple est en *-us* sauf
être.
— *Tenir - venir - courir - vêtir - coudre - vaincre - avoir.*

Terminaison -is : mettre - prendre - asseoir - acquérir.

Terminaison -it : dire - faire - écrire - cuire - conduire -
construire - confire.

Terminaison -int : tous les verbes terminés par *-indre.*

Terminaison -ert : offrir - souffrir - ouvrir.

Terminaison -ort : mourir.

Terminaison -ous -oute : absoudre - dissoudre.

B EMPLOIS

1 **LE PARTICIPE PRÉSENT** indique une **action contemporaine** de l'action exprimée par le verbe principal. Il est **invariable :**

> *Les enfants, courant à travers champs, s'amusaient bien.*

2 **LE PARTICIPE PASSÉ** s'emploie le plus souvent avec un auxiliaire :

— **Avoir** ou **être** pour former les temps composés du verbe, à la voix active et à la voix passive.

> *Le soleil a brillé toute la matinée.*
> *Jacques est descendu se baigner à la rivière.*

— **Être**, pour former la voix passive.

> *Cette maison a été construite en un temps très bref.*

Avec le participe présent de l'auxiliaire, le participe passé forme un temps composé du participe, qui indique une action antérieure à l'action exprimée par le verbe principal :

> *La cigale, ayant chanté tout l'été,*
> *Se trouva fort dépourvue, quand la bise fut venue*

(La Fontaine).

C L'ACCORD DES PARTICIPES PASSÉS

1 **Les participes passés peuvent être employés seuls,** sans auxiliaire. On les appelle des ***participes-adjectifs.*** Dans ce cas, ils s'accordent avec les noms qu'ils accompagnent comme les adjectifs qualificatifs et, comme eux, ils sont épithètes ou attributs.

> *Mordue par un chien, ma sœur a pleuré.*

2 **Les participes passés employés avec l'auxiliaire être** s'accordent, en genre et en nombre, avec le sujet du verbe :

> *Ils sont tombés.*   *Elles sont venues.*

3 **Dans le cas des participes passés employés avec l'auxiliaire avoir,** on cherche le complément d'objet direct du verbe.

● **S'il n'y a pas de complément d'objet direct,** le participe reste invariable.

> *J'ai chanté, nous avons chanté...*

● *Si le complément d'objet direct est placé après le verbe,* le participe reste invariable.

> *J'ai cueilli des fleurs.*

● *Si le complément d'objet direct est placé avant le verbe,* le participe s'accorde en genre et en nombre avec lui :

> *Les fleurs que j'ai* cueillies *sont fanées et je les ai* jetées.

4 **Les participes passés des verbes pronominaux :**
Comme dans le cas de l'auxiliaire *avoir,* on cherche le complément d'objet direct :

> *Elles se sont* lavées. Mais : *Elles se sont* lavé *les mains.*

LE GÉRONDIF

Le gérondif se construit en ajoutant la préposition *en* à la forme de participe présent du verbe. Il est invariable.

> *En chantant.*

Il sert de *complément circonstanciel de temps et de manière* du verbe principal.

> *Si vous désirez ne pas grossir, ne buvez pas* en mangeant.

L'INFINITIF

L'infinitif est la *forme qui nomme l'action*, comme le ferait un nom.

> Rouler à gauche *est interdit par le code de la route.* (La circulation à gauche *est interdite par le code de la route).*

L'infinitif a deux temps :

L'infinitif présent, qui indique une *action contemporaine* de l'action exprimée par le verbe principal :

> *J'ai essayé de* sauter *par-dessus ce mur, mais je n'y suis pas parvenu.*

L'infinitif passé, qui se construit avec le participe passé du verbe et l'infinitif présent de l'auxiliaire avoir ou être, et qui indique une *action achevée* ou *antérieure* à l'action exprimée par le verbe principal :

> *Je suis fatigué d'*avoir tant marché.

LES MOTS INVARIABLES

I. LES ADVERBES

GÉNÉRALITÉS

L'adverbe est un mot invariable, placé au voisinage d'un verbe, d'un adjectif qualificatif, ou d'un autre adverbe, pour en compléter, préciser, nuancer le sens.

> *Nous sommes sortis* hier. *Le temps était* assez beau. *Nous avons marché* lentement *dans la forêt.*

Il existe des **adverbes composés** et des **locutions adverbiales**, ou groupes de mots jouant le même rôle qu'un adverbe simple :
Adverbes composés : ***Après-demain, avant-hier, au-dessus.***
Locutions adverbiales : ***Par derrière, à coup sûr, peu à peu,*** etc.
Les adverbes ont une fonction identique à celle des noms compléments circonstanciels (voir ci-dessus, p. 13).

Ⓐ ***ADVERBES ET LOCUTIONS ADVERBIALES DE TEMPS***

Ils accompagnent et complètent généralement un verbe :

1 Pour indiquer une **époque** par rapport au moment où l'on parle : ***Hier, avant-hier, demain, après-demain, bientôt, auparavant, jadis, naguère, autrefois.***

2 Pour indiquer une **époque** par rapport à un autre moment (passé ou à venir) : ***La veille, l'avant-veille, le lendemain, le surlendemain, aussitôt après, auparavant, autrefois, ensuite, tôt, tard,*** etc.

3 Pour indiquer la **durée** ou la **répétition** : ***Toujours, jamais, longtemps, souvent, quelquefois, parfois, de temps en temps,*** etc.
A noter : Les adverbes de temps répondent à la question marquée par l'adverbe interrogatif ***quand?*** (époque), ou ***combien de temps?*** (durée).

86

B ADVERBES ET LOCUTIONS ADVERBIALES DE LIEU

Ils accompagnent et complètent généralement un verbe. Ils s'opposent souvent deux à deux :

Ici	*Ici*	*Dedans*	*Dessus*
Là, là-bas	*Ailleurs*	*Dehors*	*Dessous*
En haut	*Loin*	*Partout*	*En*	*Par ici*
En bas	*Près*	*Nulle part*	*Y*	*Par là*

A noter : Les adverbes de lieu répondent à la question marquée par l'adverbe interrogatif de lieu *où?* ou bien *d'où?* ou bien *par où?*

C ADVERBES ET LOCUTIONS ADVERBIALES DE QUANTITÉ ET D'INTENSITÉ

Ils accompagnent et complètent un verbe, un adjectif ou un adverbe.
– *Trop, beaucoup trop, bien trop.*
– *Très, fort, beaucoup* (seulement après un verbe), *tant* (seulement après un verbe), *bien, tellement.*
– *Plus, beaucoup plus, guère plus, un peu plus, de plus en plus, davantage, encore.*
– *Assez, aussi* (seulement devant un adjectif ou un adverbe), *si* (seulement devant un adjectif ou un adverbe), *autant* (seulement après un verbe), *guère, un peu.*
– *Peu, trop peu, très peu, bien peu, assez peu.*
– *Moins, beaucoup moins, guère moins, un peu moins, de moins en moins.*

Il travaille de plus en plus.
Pierre est aussi *gentil que Paul, mais Pierre travaille* autant *que Paul.*

A noter :
* Les adverbes de quantité répondent à la question marquée par les adverbes interrogatifs de quantité : *combien? à quel point?*
* Il existe des adverbes de quantité exclamatifs : *Comme, que.*
Comme *elle est jolie !*
Que *vous devez être heureux !*

✳ *Quelque* peut être employé comme adverbe de quantité (au sens de *environ*) et *tout,* comme adverbe d'intensité :
   J'ai quelque *trois cents dollars.*
   Il est tout *triste.*

Tout, dans ce cas prend la marque du féminin devant un adjectif féminin commençant par une consonne ou un *h* aspiré :
   Elle est toute *triste.*

Ⓓ ADVERBES ET LOCUTIONS ADVERBIALES DE MANIÈRE

C'est la catégorie la plus nombreuse. Ils accompagnent et complètent surtout un verbe ou un adjectif.

1 La plupart se forment en ajoutant **le suffixe** *-ment* au féminin singulier de l'adjectif correspondant :
   Grande → *grandement.*
   Lente → *lentement.*
   Calme → *calmement.*

Exceptions :
a) *Précise* → *précisément.*
   Conforme → *conformément.*

b) Les adverbes correspondant à un adjectif terminé au masculin singulier par *-é, -i, -u,* se forment directement sur le masculin :
   Décidé → *décidément.*
   Joli → *joliment.*
   Résolu → *résolument.*

Sur les adjectifs terminés par *-ant* et *-ent,* l'adverbe se forme généralement en substituant à *-ant* et *-ent* les terminaisons *-amment* et *-emment* :
   Puissant → *puissamment.*
   Différent → *différemment.*
Mais on trouve : *présentement, véhémentement.*

2 Il existe beaucoup de **locutions adverbiales de manière** :

a) Construites avec la préposition *à :*
– *A tâtons, à reculons, à califourchon.*
– *A côté, à peine, à propos, à dessein, à contre-cœur,* etc.
– *A la débandade, à la régalade.*
– *A l'aveuglette, à la sauvette, à la bonne franquette.*
– *A la légère, à la française, à la dérobée, à la file, à la ronde, à l'amiable,* etc.
– *Au choix, au fur et à mesure, au préalable,* etc.

b) Construites avec la préposition *de :*
– *De force, de préférence, de plus, de nouveau,* etc.

c) Construites avec la préposition *en :*
– *En force, en vitesse, en gros, en général,* etc.

d) Construites avec d'autres prépositions :
– *Par hasard, par cœur, hors concours,* etc.

e) Construites avec des mots redoublés :
– *Face à face, côte à côte,* etc.

3 **Certains adjectifs peuvent être parfois employés comme adverbes de manière :**
Haut, bas, dur, ferme, fin, cher, droit, etc. :
    Marcher droit, *frapper* dur, *parler* bas.

E *LA PLACE DES ADVERBES*

1 **Les adverbes de temps et de lieu** se placent généralement après le verbe :
    Il est venu ici, *puis il est reparti* ailleurs.
    Je vous recevrai demain.

✳ Mais ***toujours, souvent, déjà,*** se placent entre l'auxiliaire et le participe passé d'un verbe à temps composé.
    J'ai souvent *rencontré ce garçon; mais j'ai* toujours *ignoré qui il était.*

2 **Les adverbes de quantité et d'intensité** se placent après le verbe à un temps simple, entre l'auxiliaire et le participe d'un verbe à temps composé, mais généralement avant l'adjectif ou l'adverbe :

> *Pierre travaille* beaucoup. *Il se fatigue* trop.
> *J'ai été* très *malade avant-hier.*
> *Cela est* fort *bien.*
> *Il a toujours* beaucoup *travaillé.*

3 **Les adverbes de manière** se placent généralement après le verbe :

> *Marchez* lentement.
> *Jean refuse* obstinément *mes conseils.*
> *Il mange à la* sauvette.

4 **Lorsque plusieurs adverbes se suivent,** l'ordre type est :
Manière - temps général - quantité - lieu - temps particulier.

> *Je l'estime* bien entendu toujours beaucoup.
> *Je passerai* rapidement ici demain.

Mais ces constructions sont peu élégantes.

5 **Pour les besoins de la mise en relief** d'une idée, l'adverbe de lieu, de temps, de manière, peut être déplacé au début ou à la fin de la proposition.

> Là-haut, *un avion tournait.*
> Face à face, *les deux hommes s'observaient.*

6 **L'emploi de certains adverbes en tête de phrase *(peut-être, à peine, du moins, ainsi, aussi)*** entraîne une inversion du sujet (voir ci-après p. 109).

> *Il a* peut-être *mal entendu.*
> Peut-être *a-t-il mal entendu.*

7 Les adverbes de lieu ***devant*** et ***derrière*** peuvent également fonctionner comme préposition :

> *Allez vous placer* derrière.
> *Placez-vous* derrière *lui.*

II. LES MOTS ET LOCUTIONS DE NÉGATION

Les mots et locutions de négation méritent une étude distincte de celle des adverbes, parce que, *dans leur emploi le plus courant, ils modifient le sens de la phrase entière, qui se transforme de phrase affirmative en phrase négative,* indiquant que l'action exprimée par le verbe n'a pas lieu, ou n'a lieu que sous certaines restrictions :

Les enfants jouent / Les enfants ne *jouent* pas.

Il existe d'autre part un mot négatif qui peut porter sur un adjectif ou un autre adverbe : ***non***. Mais son emploi est beaucoup moins courant, et concurrencé par l'usage de préfixes négatifs.

 ## FORMES ET VALEURS DE LA NÉGATION DE PHRASE

Le principal adverbe négatif est ***ne***, qu'on trouve dans presque toutes les constructions négatives. Mais il est rarement employé seul, et se trouve en corrélation avec un autre adverbe (***pas, jamais, guère, que,*** etc.). Il faut donc parler plutôt de ***locution adverbiale négative.***

A noter : Dans ***ne***, *-e* s'élide et est remplacé par l'apostrophe devant une voyelle ou un ***h*** muet :

N'*approchez* pas.

1 LES LOCUTIONS ADVERBIALES DE NÉGATION ABSO-LUE, sans indication circonstancielle : *Ne pas* ; *ne point*.

Elles indiquent que l'action n'existe pas.

Je ne *le ferai* pas *parce que je* ne *veux* pas *le faire.*

Ne... pas est plus employé que ***ne... point***.

A noter :

a) *Pas* est omis :

1. Avec ***pouvoir*, *savoir*, *cesser*, *oser***, lorsque ces verbes sont employés sans complément, ou seulement avec un infinitif.

> *Je ne sais que penser.* Mais : *Il ne sait* pas *sa leçon.*
> *Je n'ose vous le dire.*
> *Il ne cesse de pleuvoir depuis deux jours.*

2. Dans les expressions toutes faites :

> N'*ayez crainte.*
> *Si je* ne *me trompe.*
> *Il n'est pire eau que l'eau qui dort.*

3. Avec la conjonction négative ***ni*** :

> *Nous* ne *sommes allés* ni *au théâtre,* ni *au cinéma cette semaine.*

4. Dans le cas de ***ne*** dit ***explétif*** : ***ne*** seul, et sans valeur négative, apparaît en effet :

✳ Devant un verbe, après un comparatif :

> *Le temps est plus beau que je* ne *l'espérais.*

✳ Dans une proposition subordonnée après ***avant que, de peur que*** et après un verbe de crainte ou d'empêchement en construction affirmative :

> *Rentrons à la maison avant que l'orage* n'*éclate.*
> *Je crains que vos remontrances* ne *le découragent.*

b) Dans une phrase sans verbe, c'est *ne* qui est omis :

> Pas *possible!*
> *Vous avez terminé?* Pas *moi* (ou *Moi,* pas).

2 LES LOCUTIONS ADVERBIALES DE NÉGATION avec indication de temps : *Ne... plus, Ne... jamais*.

Ne plus indique que l'action a cessé d'exister :

> *Je ne prends* plus *le train depuis que j'ai une voiture.*

Ne... jamais indique que l'action n'existe ou n'a existé à aucun moment :

> *Je ne bois jamais d'alcool. Jacques n'a jamais fumé.*

*A noter : **Ne*** peut être omis devant ***plus*** et ***jamais***, dans certaines constructions sans verbe :

> *Avez-vous toujours froid? Non,* plus *maintenant.*
> *Avez-vous déjà visité la Gaspésie?* Jamais (ou *non,* jamais).

3 **LES LOCUTIONS ADVERBIALES DE NÉGATION PARTIELLE :** *Ne... guère; Ne... pas beaucoup.*

Elles indiquent que l'action existe à un faible degré, ou seulement de temps en temps.

> *Je* ne *voyage* guère *en ce moment, car je* n'*en ai* pas beaucoup *le temps*.

A noter : L'emploi de **guère** exclut celui de **pas**.

4 **LA LOCUTION ADVERBIALE DE NÉGATION RESTRICTIVE :** *Ne... que.*

Ne... que a le même sens que **seulement**, **uniquement**, et indique que l'action existe seulement pour certains objets, ou dans certaines conditions.

> *Jacques* ne *boit* que *de l'eau* (seulement de l'eau).
> *On* ne *peut lire avec profit* que *dans le silence*.

A noter : Ne faire que chanter, jouer, etc., signifie : *chanter, jouer sans arrêt.*

Ne faire que de partir signifie : *venir seulement de partir, être parti à l'instant.*

B *LA CONSTRUCTION DE LA NÉGATION DE PHRASE*

Ne... pas, ne... plus, ne... jamais, ne... guère, encadrent le verbe au temps simple, sauf pour l'infinitif :

> Ne *montez* pas *dans le train en marche*.
> *Il* n'*est* pas *naturel de* ne pas *travailler*.

Elles encadrent l'auxiliaire, dans un verbe au temps composé :

> *Vous* n'*avez* pas *compris*.
> *Vous* n'*avez* jamais *voulu m'écouter*.

Ne... que encadre le verbe aux temps composés comme aux temps simples :

> *« Elle* n'*a dansé* qu'*un seul été »* (titre d'un film suédois).

A noter :

✳ **Jamais** peut être mis en relief au début de la phrase :

> Jamais *je* n'*ai vu un enfant si intelligent*.

⋇ Avec un pronom indéfini négatif (**aucun**, **nul**, **personne**,**rien**), et avec les adjectifs négatifs **aucun** et **nul**, l'emploi de **pas**, de **guère** et de **que** est exclu.

> Personne n'*est venu nous voir cette semaine.*
> Aucun *pays* n'*a le droit d'imposer son pouvoir à un autre.*

Mais **plus** et **jamais** sont possibles :

> Personne n'*avait* jamais *exploré cette région avant eux.*
> *Je* ne *demanderai* plus rien *à personne.*

⋇ Plusieurs adverbes négatifs peuvent se combiner :

> *Vous* ne *les reverrez* plus jamais (*ou* jamais plus).
> *On* n'*attend* plus que *vous.*
> *Ce pays* n'*a* jamais *connu* que *la guerre et la misère.*

C L'ADVERBE NÉGATIF DEVANT UN ADJECTIF, UN SUBSTANTIF, OU UN ADVERBE

On emploie généralement dans ce cas l'adverbe simple **non** :
Devant un adjectif :

> *Il m'a parlé d'une voix* non *changée par la maladie.*

Devant un nom :

> *Il accepte les dons en nature,* non *l'argent.*

Devant un adverbe :

> *Pierre est* non *seulement intelligent, mais travailleur.*

Lorsqu'on insiste sur l'opposition entre deux qualités, ou deux êtres, ou deux objets, on emploie souvent la locution **non pas** :

> *Il est,* non pas *intelligent, mais adroit.*

D LES MOTS ET EXPRESSIONS QUI SERVENT A EXPRIMER LA NÉGATION-RÉPONSE

Ce sont plutôt des **mots-phrases** que des adverbes. On trouve :
⋇ **Non :** c'est, pour la négation-réponse absolue, le terme le plus courant.

> *Êtes-vous satisfait ?* – Non.

⋇ Des locutions, qui peuvent se substituer à **non**, avec un effet d'insistance et d'expressivité :
Du tout, que non pas, jamais de la vie, au grand jamais, absolument pas, etc.

> *Accepterez-vous cette proposition ?* – Jamais de la vie.

III. LES PRÉPOSITIONS

Les prépositions sont des mots de liaison invariables qui introduisent des noms compléments : à, de, en, dans, par, pour, vers, chez, etc.

   La perte de ses biens a été pour lui un coup brutal.

Il existe des *locutions prépositives,* ou groupes de mots jouant le même rôle qu'une préposition simple : *près de, à cause, jusqu'à, au milieu de,* etc.

 PRÉPOSITIONS DE SENS PARTICULIER

Beaucoup de prépositions et de locutions prépositives servent à introduire un complément exprimant une *circonstance particulière* :

1 **LE TEMPS :**

Époque :	Durée :
Lors de	*Pendant*
Au moment de	*Durant*
Avant/Après	

2 **LE LIEU :**

Les prépositions et locutions prépositives de lieu s'opposent souvent deux à deux :

↑ *Au milieu de* _____ ↑ *Sur, au-dessus de, en haut de*

↓ *Hors de, autour de* ↓ *Sous, au-dessous de, en bas de*

↑ *Jusqu'à, vers, en direction de, près de, à côté de, au côté de*
_____
↓ *En venant, de, du côté de, loin de*

↑ *Devant* _____ ↑ *En deçà de* _____ ↑ *A l'intérieur de*

↓ *Derrière* ↓ *Au-delà de* ↓ *A l'extérieur de*

3 LA CAUSE, L'ORIGINE :

A cause de, selon, suivant, d'après.
> A cause de *cette réunion, j'ai raté mon train.*
> Selon *les journaux, on peut s'attendre à une violente tempête.*

4 LA MANIÈRE, L'ACCOMPAGNEMENT :

Avec
> *Parler* avec *colère, venir* avec *ses amis.*
Sans
> *Il est très imprudent de rouler* sans *freins.*

B *PRÉPOSITIONS A EMPLOIS MULTIPLES*

Ce sont les plus fréquentes : *à, de, dans, en, par, pour.*

1 À :

a) **La préposition** *à* **s'emploie pour introduire des compléments du verbe :**

1 - *Le complément indirect d'objet :*
> *Obéir* à *ses parents.*
> *Penser* à *ses amis.*

2 - *Le complément indiquant l'attribution ou la destination :*
> *Donner* à, *attribuer* à, *réserver* à, *etc.*

3 - *Le complément de* être, appartenir, **indiquant l'appartenance :**
> *Ce livre est* à *Jean, appartient* à *Jean.*

4 - *Le complément circonstanciel de lieu :*
— **Situation** : *Résider* à *Montréal,* à *Québec,* aux *États-Unis,* au *Mexique (au pour les noms de villes et de pays masculins).*
> *Rester* à *la maison.*
> *Passer son temps* au *cinéma.*

— **Destination** : *Aller* à *Toronto,* à *Vancouver,* à *New York,* au *Canada,* au *Portugal (au pour les noms de villes et de pays masculins).*
> *Se rendre* au *théâtre,* à *l'exposition de peinture.*

5 - *Le complément circonstanciel indiquant l'époque, le moment :*
> *A l'heure dite,* au *temps des Romains,* à *l'époque.*

6 - *Le complément circonstanciel indiquant un moyen, une manière d'agir*, etc.

> *Voyager* à *pied*, à *cheval*, à *bicyclette*, à *dos de mulet*.

7 - *L'infinitif complément de certains verbes* : *commencer* à, *apprendre* à, *penser* à.

b) **Pour introduire des compléments du nom :**

1 - *Compléments indiquant la destination, l'utilisation :*

> *Cuiller* à *café*, *tasse* à *thé*, *cire* à *cacheter*, *machine* à *laver*, *machine* à *coudre*.

2 - *Compléments indiquant la qualité, les éléments constituants, la manière,* etc.

> *Un homme* au *complet gris*, *un garçon* aux *yeux noirs*, *un bateau* à *vapeur*, *la peinture* à *l'eau*, *du café* au *lait*, *du thé* au *jasmin*.

2 **DE :**

La préposition *de* s'emploie :

a) **Pour introduire des compléments du verbe :**

1 - *Le complément d'objet indirect* (*se moquer* de, *rire* de, *abuser* de).

> *Pourquoi vous moquez-vous* de *moi ?*

2 - *Le complément circonstanciel indiquant l'origine, le point de départ* (après les verbes *venir*, *s'éloigner*, *partir*, *arriver*, *sortir*, *obtenir*, *recevoir*, *hériter*, etc.).

> *Le vent vient* du *Sud*.
> *Jacques a obtenu* de *son patron trois jours de congé*.

Après le verbe *être*, *de* indique l'auteur d'une œuvre :

> *Ce poème est* d'*Anne Hébert*.

3 - *Le complément circonstanciel indiquant la cause :*

> *Rougir* de *confusion*, *chanter* de *joie*, *mourir* de *soif*.

4 - *Le complément circonstanciel indiquant la manière :*

> *Parler* d'*un air dur*, d'*un ton furieux*, d'*une manière douce*, de *la façon la plus gentille du monde*, etc.

b) **Pour introduire des compléments du nom et de l'adjectif :**

1 - *Le complément indiquant la possession :*
   La voiture de *mon frère.*

2 - *Le complément indiquant l'auteur d'un travail, d'une œuvre :*
   Un poème de *Vigneault.*
   Un film de *Jean-Luc Godard.*

3 - *Le complément indiquant l'origine :*
   Des oranges de la *Floride.*

4 - *Le complément indiquant la matière, ou le contenu :*
   Des bas de *soie.*
   Un tas de *plomb.*
   Une tasse de *café.*

5 - *Le complément indiquant la valeur, le prix :*
   Une maison de *soixante milles dollars.*

6 - *Le complément indiquant la qualité, l'usage, l'appartenance à une catégorie :*
   Un homme de *cœur.*
   Un train de *marchandises.*
   Un officier d'*artillerie.*

7 - *Le complément du comparatif général* (après *le plus, le moins*) :
   Le plus sympathique de *tous mes camarades.*

3 EN :
La préposition **en** s'emploie :

a) **Pour introduire des compléments du verbe :**

1 - *Le complément indiquant le lieu à l'intérieur duquel on est, ou le lieu où l'on va :*
   Résider en *Mauricie, aller* en *Ontario.*

2 - *Le complément de lieu figuré :*
   Entrer en *concurrence avec quelqu'un, mettre quelqu'un* en *confiance, être* en *vacances.*

3 - *Le complément de temps :*
   Époque : en *été,* en *hiver,* en *automne,* en *1969* (mais : au *printemps*).

Durée : en *quelques heures,* en *huit jours.*
En s'oppose ici à **dans,** qui indique le moment à partir duquel se produira une action : *je reviendrai* dans *huit jours.*

4 - Le complément indiquant le moyen de locomotion, lorsqu'il s'agit de véhicules à l'intérieur desquels on s'installe :
> *Voyager* en *train,* en *avion,* en *auto,* en *autocar.*

5 - Le gérondif (en + la forme *-ant* du verbe*) : boire* en *mangeant.*

b) Pour introduire des compléments de nom indiquant la **matière,** en concurrence avec *de :*
> *Une tasse* en *porcelaine.*
> *Un coupe-papier* en *ivoire.*
> *Une montre* en *or.*

4 PAR :

La préposition **par** s'emploie :

a) Pour introduire des compléments du verbe :

1 - Le complément indiquant le lieu qu'on traverse pour aller d'un point à un autre :
> *Passer* par *Chicoutimi,* par *Trois-Rivières, entrer* par *la fenêtre.*

2 - Le complément indiquant le moyen :
> *Venir* par *mer, voyager* par *avion, apprendre une nouvelle* par *la presse.*

3 - Le complément d'agent du verbe passif :
> *J'en ai été informé* par *ses amis.*
> *Ces enfants ont été abandonnés* par *leurs parents.*

4 - Le complément à l'infinitif de commencer **et de** finir **:**
> *Il a commencé* par *rire, et fini* par *pleurer.*

b) Pour introduire des compléments du nom indiquant le moyen, la manière :
> *Un voyage* par *air.*
> *Coup* par *coup.*

5 POUR :

La préposition *pour* s'emploie :

a) **Pour introduire des compléments du verbe :**
1 - *Complément d'attribution, de destination :*
   Il a écrit ce poème pour *sa fiancée.*

2 - *Complément qui pourrait également être introduit par* à la place de, en échange de *:*
   Il a reçu une médaille **pour** *toute récompense.*

3 - *Complément qui pourrait être introduit par* selon, d'après, *ou* en ce qui concerne *:*
   Pour *lui, nous aurions perdu la partie.*

4 - *Complément indiquant la cause :*
   C'est pour *cela, pour* cette raison, *pour* ce motif, *que je l'ai fait convoquer à mon bureau.*

5 - *Complément à l'infinitif indiquant le but* (en concurrence avec *afin de*) *:*
   Il travaille très dur pour *s'offrir une voiture.*

b) **Pour introduire des compléments de l'adjectif :**
   Il est gentil pour *moi.*

IV. LES CONJONCTIONS DE SUBORDINATION

Les conjonctions de subordination sont des mots invariables de liaison, qui unissent une proposition subordonnée à une proposition principale.

Elles jouent entre la proposition principale et la proposition subordonnée le même rôle que la préposition entre le mot complété (verbe, nom) et le mot ou le groupe de mots complément.

Les principales conjonctions de subordination sont : ***quand, lorsque, comme, que.***

La plupart des collèges ferment leurs portes quand *vient l'été.*

Il existe des locutions conjonctives de subordination, ou groupes de mots jouant le même rôle que les conjonctions simples : ***alors que, bien que, de même que, pour que, à condition que, sous prétexte que,*** etc. La plupart des locutions conjonctives contiennent la conjonction simple ***que.***

Tableau d'emploi des conjonctions et locutions conjonctives de subordination.

Conjonction et locution conjonctive	Fonction et sens de la proposition subordonnée introduite
Que	Subordonnée complément d'objet (complétive)
Quand, lorsque, comme, avant que, après que, depuis que, alors que, aussitôt que, en attendant que	Subordonnée circonstancielle de temps.
Pour que, afin que	Subordonnée circonstancielle de but.
Parce que, puisque, vu que, attendu que, étant donné que, sous prétexte que	Subordonnée circonstancielle de cause.
De sorte que, de telle sorte que, de façon que, de telle façon que, tellement que, à tel point que, si... que	Subordonnée circonstancielle de conséquence.
Quoique, bien que	Subordonnée circonstancielle d'opposition.
Si, même si, à condition que, quand (suivi du conditionnel), **quand bien même** (id), **pourvu que, pour peu que, à moins que**	Subordonnée circonstancielle de condition.
Comme, de même que, ainsi que, selon que, suivant que	Subordonnée circonstancielle de comparaison.

On trouvera une étude détaillée de ces emplois, dans le chapitre consacré à la structure de la phrase complexe, ci-après, p. 115.

V. CONJONCTIONS DE COORDINATION ET AD-VERBES DE LIAISON

 ## A CONJONCTIONS DE COORDINATION

Ce sont des mots invariables qui unissent deux mots, deux groupes de mots ou deux propositions de même fonction.

A la différence des prépositions et des conjonctions de subordination, elles ne jouent aucun rôle dans l'organisation des fonctions à l'intérieur de la phrase, même si elles sont importantes pour exprimer des rapports de sens.

Il en existe sept : ***et, ou, ni, mais, or, car, donc.***

1 **ET** (conjonction adjonctive) :

Et indique :

a) ***L'addition,*** dans une phrase affirmative :
  Servez-moi un café et *deux croissants.*
  Elle chante et *elle danse toute la journée.*

b) ***La succession*** de deux actions :
  Il a traversé la rue et *il est parti en courant.*
  J'ai payé et *je suis sorti.*

Lorsque plus de deux termes ou plus de deux propositions sont ainsi réunis, on exprime ***et*** seulement devant le dernier élément :
  Il a payé, salué tout le monde, ouvert la porte et *sauté dans sa voiture.*

2 **OU** (conjonction disjonctive) :

Ou s'emploie :

a) Pour indiquer qu'on ne choisit pas, entre deux êtres, deux objets, ou deux actions de même valeur ou de même signification :
  Servez-moi une tasse de thé ou *de café, peu importe.*

103

b) Pour marquer une opposition exclusive entre deux actions :
Vaincre ou *périr*.
Ou peut apparaître sous la forme renforcée **ou bien.**

3 **NI** (conjonction adjonctive) :

Ni s'emploie pour unir deux mots ou deux groupes de mots dans une phrase négative, à condition que le premier élément coordonné soit précédé de **ne**. Il est fréquent que **ni** apparaisse devant chaque élément coordonné :
Il n'écoute ni *ses parents,* ni *ses amis.*
Je ne veux ni *ne dois obéir.*

4 **MAIS** (conjonction adversative) :

Mais s'emploie pour indiquer une restriction, une objection, une opposition entre deux idées, deux actions, deux qualités, etc. :
Il se taisait, mais *il était furieux.*
Jacques est intelligent, mais *paresseux.*

5 **OR** (conjonction déductive) :

Or sert à introduire une proposition exprimant une idée ou un fait qui prend place dans un raisonnement ou dans un récit pour amener et rendre plausible la conclusion logique. *Or* est souvent en corrélation avec un **donc** introduisant la phrase qui suit :
Nous aurions bien voulu faire une promenade en forêt. Or, *il faisait un temps épouvantable. Nous sommes* donc *restés à la maison.*

6 **CAR** (conjonction explicative) :

Car introduit une proposition qui apporte l'explication de ce qui a été dit précédemment :
Nous allons vous quitter, car *il se fait tard.*

Car a le même sens que la locution conjonctive de subordination *parce que*, mais, à la différence de la proposition introduite par *parce que*, la proposition explicative introduite par *car* ne peut précéder la proposition contenant le fait expliqué. On peut dire : *Parce qu'il est malade, il ne viendra pas*, mais non pas : * *Car il est malade, il ne viendra pas*. D'autre part, *parce que* peut être précédé de *et* et de *c'est*, ce qui est impossible pour *car.*

7 **DONC** (conjonction conclusive) :

Donc introduit une proposition qui contient la conclusion logique d'un raisonnement :

> *Nous partirons à treize heures. Nous habitons à un quart d'heure de la gare, et le train passe à quatorze heures.* Donc, *nous serons sûrs de ne pas le manquer.*

A la différence des autres conjonctions de coordination, *donc* peut se placer après le verbe de la deuxième proposition coordonnée.

B *ADVERBES ET LOCUTIONS ADVERBIALES DE LIAISON*

Les conjonctions de coordination, sauf *et* et *ni*, peuvent être remplacées par des adverbes ou des locutions adverbiales de même rôle et de même sens.

1 - *Ou*, dans certaines constructions, peut être remplacé par *soit... soit* :

> *Nous prendrons la route du Sud ou celle du Sud-Est.*
> *Nous prendrons soit la route du Sud, soit celle du Sud-Est.*

2 - *Mais* peut être remplacé par *cependant, pourtant, néanmoins, toutefois,* et, avec une nuance de sens différent, par *en revanche.*

A noter : L'emploi de **mais** exclut l'emploi de ces termes de substitution. On ne doit pas écrire : * *Mais cependant.*

3 - **Or** peut être remplacé parfois par : **seulement.**

4 - **Car** peut être remplacé par : **en effet.**

A noter : L'emploi de **car** exclut celui de **en effet.**

5 - **Donc** peut être remplacé par : **par conséquent, en conséquence, par suite, c'est pourquoi, voilà pourquoi, partant, ainsi, aussi, aussi bien.**

> *Le directeur voulait nous faire une communication urgente,* c'est pourquoi *il nous a tous convoqués aujourd'hui.*

A noter :
Aussi, employé en tête de phrase avec le sens de **donc**, entraîne l'inversion du sujet :

> *Je suis trop fatigué;* aussi ai-je décidé de prendre du repos. L'emploi de **donc** exclut l'emploi des termes substituables.

6 - Il existe plusieurs adverbes de liaison qui expriment une **succession temporelle** entre deux actions : **puis, ensuite, alors, enfin.**

> *Il s'habilla,* puis *il sortit.* Alors, *le téléphone sonna.*

7 - Il existe plusieurs adverbes et locutions adverbiales de liaison qui expriment un rapport d'**adjonction**, d'**accumulation** et qui peuvent s'employer soit seuls, soit après **et** : **de plus, bien plus, au surplus, même, surtout, encore.**

> *Il passe beaucoup de voitures sur l'autoroute de l'Ouest,* surtout *le samedi et le dimanche.*

LA PHRASE

Le langage organise les mots et les groupes de mots en phrases.

Dans le langage oral la phrase est soumise à l'***intonation*** : montée, puis chute de la voix, pour la phrase affirmative. Elle est suivie d'une ***pause***.

> *Les enfants se sont bien amusés dans le jardin public. Ils y retourneront demain.*

Dans le langage écrit, le premier mot de la phrase commence par une ***majuscule***. La phrase se termine par un ***point***.

> *Allons-nous-en. Il fait trop chaud ici.*

Il existe des ***phrases simples***, qui sont sans verbe, ou qui ne contiennent qu'un verbe à mode personnel, et des ***phrases complexes***, qui contiennent plusieurs verbes à mode personnel.

I. LA PHRASE SIMPLE AFFIRMATIVE

Ⓐ LA PHRASE SIMPLE AVEC UN VERBE

🔢 STRUCTURE.

La phrase avec verbe est le modèle le plus fréquent, surtout dans le langage écrit. Elle se compose au minimum d'un verbe et de son sujet exprimé (sauf si le verbe est à l'impératif), et bien souvent elle contient aussi des compléments du verbe.

		Groupe nominal			Groupe verbal		
	art.	nom			verbe		
	La	*voiture*			*s'est arrêtée.*		
		sujet			verbe		
art.	nom	adj.	verbe	prép.	art.	nom	
La	*voiture*	*bleue*	*s'est arrêtée*	*près*	*du*	*trottoir.*	
	sujet				complément circonstanciel de lieu		

	art.	adj.	nom	adj.
	La	*puissante*	*voiture*	*bleue*

sujet

verbe	adverbe	prép.	art.	nom
s'est arrêtée	*lentement*	*près*	*du*	*trottoir*
verbe	complément		complément	
	circonstanciel		circonstanciel	
	de		de	
	manière		lieu	

Ces exemples successifs montrent comment la phrase simple peut s'étoffer par enrichissement des deux groupes qui la composent (groupe nominal sujet, groupe verbal).

◼ L'ORDRE DES MOTS

a) **Ordre normal :**
Les mots se suivent le plus souvent dans l'ordre:
Sujet + verbe + complément.
> *Une tempête s'est déchaînée sur la région.*
> *Elle a dévasté trente villages.*

S'il s'agit d'une phrase comportant un attribut du sujet, l'ordre est le suivant :
Sujet + verbe + attribut.
> *Son père est jeune.*

b) **Inversion du sujet.**
Le sujet se place après le verbe lorsque la phrase commence par les adverbes ou locutions adverbiales **ainsi**, **à peine**, **du moins**, **encore**, **peut-être**, **sans doute**.

1. **Inversion simple** (lorsque le sujet est un pronom personnel) :
> *Sans doute est-il en voyage. Il ne répond pas à mes lettres.*

2. **Inversion complexe** (lorsque le sujet est un nom) :
> *Sans doute Pierre est-il en voyage.*

c) **Le pronom personnel complément d'objet et complément d'objet indirect :**
Lorsque le complément d'objet est un pronom personnel non accentué (**me**, **te**, **se**, **le**, **la**, **les**), il se place avant le verbe si celui-ci est à un autre mode que l'impératif affirmatif. Le pronom complément d'objet indirect précède le pronom complément d'objet direct, sauf si les deux pronoms compléments sont à la 3[c] personne.

Je le *vois*. Mais : *Regarde*-le.
Ne le *regarde pas*.
Prends ce livre. Je te le *donne*. *Ne* me le *rends pas*.
Mais. *Il peut prendre ce livre. Je* le lui *donne*.
Ne le lui *reprends pas*.

3 LA MISE EN RELIEF :

L'ordre des mots peut être bouleversé lorsqu'on met en relief certains mots, pour exprimer une émotion vive ou une insistance, ou un effet littéraire :

a) Inversion de l'ordre des termes :

Les classes commencent au début de septembre.
→ *Au début de septembre, commencent les classes.*
Un contre-ordre succéda à l'ordre.
→ *A l'ordre, succéda un contre-ordre.*
Mon cœur est triste.
→ *Triste est mon cœur.*

b) Phrase segmentée :

On rejette le mot mis en relief au début ou à la fin de la phrase, et on le reprend, après une légère pause, à l'aide d'un pronom placé au voisinage immédiat du verbe.

Je connais bien ce garçon → *Ce garçon, je* le *connais bien.*
S.   V.   C.   C.   S. C.   V.
                                           repris

Je dirai ce que je pense à   *Je* lui *dirai ce que je pense, à*
mon père.   *mon père.*

c) Termes de présentation ou d'insistance :

1. *Présentatifs : il y a, voici/voilà, c'est... qui, c'est... que.*
   Un homme bizarre est dans la rue.
→ Il y a *un homme bizarre dans la rue.*
   Je t'avais parlé de ce garçon.
→ Voici *le garçon dont je t'avais parlé.*
   Je rêvais d'acheter cette voiture.
→ C'est *la voiture que je rêvais d'acheter.*

2. *Insistance : pour, quant à.*
   Nous n'avons plus d'argent.
→ Pour *l'argent, nous n'en avons plus*
ou→ Quant à *l'argent, nous n'en avons plus.*

B *LA PHRASE SIMPLE SANS VERBE*

Il existe des *phrases sans verbe*. On ne peut les analyser que comme des réductions de phrases à verbe. On distingue :

1 DES PHRASES SANS VERBE SUBSTITUÉES A UNE PHRASE A VERBE *ÊTRE* SUIVI D'UN ATTRIBUT DU SUJET :

On évite alors d'utiliser les notions de sujet et d'attribut, puisque ces notions ne se définissent que par rapport à l'existence d'un verbe. On les remplace par les notions de *thème* (ce dont on parle) et de *prédicat* (ce qu'on en dit).

> *Excellent,   ce repas !*
>   (prédicat)   (thème)

On peut diviser ces phrases en deux sortes :

a) **Des phrases sans verbe comportant seulement le prédicat.**
Le thème n'est pas exprimé : il fait partie de la situation dans laquelle se trouve celui qui parle ou celui à qui l'on s'adresse.

> *Drôle de garçon !* (= X. est un drôle de garçon).
> *Quelle histoire !* (= L'aventure dans laquelle nous nous trouvons est une étrange histoire).

b) **Des phrases sans verbe comportant le thème et le prédicat :**
1. *Thème suivi du prédicat :*
> *Diseur de bons mots, mauvais caractère.*
>   (thème)   (prédicat)
> = Un diseur de bons mots est un homme de mauvais caractère.

2. *Prédicat suivi du thème :*
> *Fameux, ce café !*
> *Excellent élève, ce garçon !*
> *Une très belle œuvre, cette toile de Riopelle.*
> *C'est une grande idée, que l'idée de démocratie.*
>   (prédicat)   (thème)

2 DES PHRASES SANS VERBE SUBSTITUÉES A UNE PHRASE COMMENÇANT PAR *il y a*, OU *c'est* :

> *Danger !* = *Il y a* ici un danger.
> *« Départ de Marseille. Vent violent ; air splendide »* (A. Gide).
> = *C'est* le départ de Marseille. *Il y a* un vent violent. L'air *est* splendide.

3 **DES PHRASES SANS VERBE RÉDUITES AU SEUL COMPLÉMENT D'UN VERBE SOUS-ENTENDU OU EXPRIMÉ PRÉCÉDEMMENT :**

Où allez-vous cet après-midi? – *Au cinéma (* = Je vais au cinéma*).*

J'ai fini mon travail. – *Enfin! (* = Vous avez enfin fini*).*

4 **DES PHRASES SANS VERBE ÉQUIVALANT A UN ORDRE, UNE PRIÈRE, UN AVERTISSEMENT :**

Silence! (= Faites silence.)

Feu (= Faites feu.)

Gare! (= Prenez garde.)

Attention! (= Faites attention.)

Les phrases sans verbe sont nombreuses dans le dialogue parlé ou transcrit, sur les affiches et les pancartes, dans les titres des journaux, etc

II. LA PHRASE SIMPLE INTERROGATIVE

Il faut distinguer l'*interrogation totale* et l'*interrogation partielle.*
*L'interrogation totale porte sur l'existence de l'action ou de l'état
qu'exprime le verbe.* Elle appelle la réponse *oui, non, peut-être.*
  Avez-vous déjà voyagé en avion? (Réponse : « oui », ou « non »)
  Êtes-vous satisfait ?   (Id.)
*L'interrogation partielle porte sur l'identité du sujet ou du complément d'objet direct, ou du complément d'objet indirect, ou du
complément circonstanciel du verbe.* Elle exclut la réponse *oui.*
Question portant sur le sujet : *Qui a ouvert cette porte?* (Réponse
« moi », ou « M. Dupont », mais « oui » est une réponse impossible).
Question portant sur le complément d'objet direct : *Que faites-vous ce soir?*
Question portant sur le complément d'objet indirect : *A quoi
penses-tu?*
Question portant sur le complément circonstanciel de moyen :
Par quel train êtes-vous arrivé?
Chaque espèce d'interrogation s'exprime par des constructions
particulières. De plus, les constructions varient selon qu'on
situe son langage au niveau du français soutenu ou au niveau
du français familier. Mais tous les types de phrases interrogatives directes, quels qu'ils soient, se caractérisent dans le
langage oral par la *montée du ton*, et dans le langage transcrit
par un *point d'interrogation* (*?*) terminant la phrase.

 A *INTERROGATION TOTALE*

En français soutenu, elle peut être marquée de deux manières :

■ L'INVERSION DU SUJET :

a) **Inversion simple :** Lorsque le sujet est un *pronom personnel
atone,* conjoint du verbe, ou le pronom *on,* ou le pronom *ce,*
il se place immédiatement après le verbe (après l'auxiliaire,

si le verbe est à un temps composé).
>*Part*-il *bientôt?*
>*Est*-ce *loin?*
>*Qu'a-t*-on *fait de ce pays?*

b) **Inversion complexe :** Lorsque le sujet est un *nom* ou *un pronom accentué*, séparable du verbe (comme *eux, quelqu'un*), il demeure placé avant le verbe, mais il est repris, immédiatement après ce dernier, par les pronoms *il, ils, elle, elles* (selon le genre et le nombre du sujet) :
>Jacques *sera-t*-il *des nôtres ce soir?*
>Quelqu'un *a-t*-il *vu ce qui s'est passé?*

2 LA TOURNURE EST-CE QUE :

La tournure *est-ce que*, placée en tête de phrase, exclut l'inversion du sujet et permet donc de conserver l'ordre normal des termes :
>Est-ce que *Jacques sera des nôtres ce soir?*
>Est-ce que *quelqu'un a vu ce qui s'est passé?*

En français familier, on ne se sert ni de l'inversion du sujet, ni de la tournure *est-ce que*; on se contente de marquer l'interrogation par *la seule montée du ton* (ou le point d'interrogation) :
>*Jacques sera des nôtres ce soir?*
>*Quelqu'un a vu ce qui s'est passé?*

B *INTERROGATION PARTIELLE*

En français soutenu, elle peut être également marquée de deux manières :

1 TOURNURE A INVERSION :

Les mécanismes sont ici un peu plus compliqués. Nous les résumons dans les exemples ci-dessous.

[Sujet	Qui a frappé?]
C.o.d. : *Que fais-tu?*	*Que fait Pierre?*
C.o. inv. : *A quoi pense-t-il?*	*A quoi pense Pierre ou a quoi Pierre pense-t-il?*
C. circ. : *Par où êtes-vous passés?*	*Par où Pierre et Nicole sont-ils passés?*

113

❷ TOURNURE EST-CE QUE :

Comme dans l'interrogation totale, la tournure *est-ce que* permet d'éviter les mécanismes délicats de l'inversion. Mais elle donne naissance, dans ce cas, à des constructions lourdes et peu élégantes. Elle n'est jamais employée lorsque l'interrogation porte sur l'attribut du sujet. Voici quelques exemples :

> Qui est-ce *qui a frappé ?*
>
> Qui est-ce *que vous voyez ?*
>
> Qui est-ce que *Pierre fréquente ?*
>
> A qui est-ce que
> A quoi est-ce que   *vous pensez ?*
>
> A qui est-ce que
> A quoi est-ce que   *Pierre pense ?*
> A quelle *affaire* est-ce que

En français familier, on se contente aussi, le plus souvent, de conserver l'ordre normal des termes de la phrase, sans inversion ni tournure **est-ce que**, en marquant fortement l'intonation montante. Le mot interrogatif (pronom, adjectif, adverbe) se trouve alors reporté à la fin de la phrase :

> *Vous pensez* à quoi ?
> *Vous viendrez* par quelle *route ?*

A noter. Tours particuliers :

* **L'interrogation avec l'infinitif :**
  Pourquoi pleurer ? Pourquoi gémir ?
  Où aller ?
  Que faire ?

* **L'interrogation sans verbe :**
  Très intéressante, cette exposition, n'est-ce pas ?

III. *LA PHRASE COMPLEXE*

On appelle proposition tout ensemble de mots construit sur le modèle de la phrase simple avec verbe, c'est-à-dire tout ensemble de mots construit autour d'un verbe à mode personnel et de son sujet exprimé.

Le passage de la phrase simple à la phrase complexe se fait en substituant des propositions entières au sujet ou aux diverses sortes de compléments du verbe.

Dans une phrase complexe, l'une des propositions est la ***proposition principale***, les autres sont les ***propositions subordonnées***. On reconnaît celles-ci au fait qu'elles sont introduites par des mots de rôle particulier, les ***mots subordonnants*** (pronoms relatifs, conjonctions de subordination, mots interrogatifs). La proposition principale est ce qui reste de la phrase lorsqu'on a écarté les propositions subordonnées.

a) **Du point de vue de la nature du subordonnant,** on distingue :

1. ***Les propositions subordonnées relatives,*** introduites par un pronom relatif :
> *Je ne suis jamais revenu dans la ville* que j'avais habitée pendant mon enfance.

2. ***Les propositions subordonnées interrogatives indirectes,*** introduites par un pronom, un adjectif ou un adverbe interrogatif :
> *Dis-moi* qui tu fréquentes, *je te dirai* qui tu es.
> *Je me demande* comment tu t'y es pris.

3. ***Les propositions subordonnées conjonctives,*** introduites par une conjonction ou une locution conjonctive de subordination (voir ci-dessus, p. 102) :
> *Je crois* qu'il est malade.
> *Nous nous sommes réfugiés dans une ferme,* pendant que l'orage se déchaînait sur la campagne.

b) **Du point de vue du rôle et de la fonction de la proposition subordonnée, on distingue :**

1. ***Les propositions subordonnées substantives,*** qui jouent le rôle que jouerait un groupe nominal sujet ou complément d'objet. Ce sont les propositions ***subordonnées interrogatives indirectes*** et les propositions ***subordonnées introduites par la conjonction que***.

2. *Les propositions subordonnées adjectives,* qui jouent le rôle que jouerait un adjectif qualificatif ou un complément de nom. Ce sont la plupart des *propositions relatives*.

3. *Les propositions subordonnées adverbiales ou circonstancielles,* qui jouent le rôle que jouerait un adverbe ou un nom complément circonstanciel du verbe. Ce sont les *propositions subordonnées introduites par une conjonction différente de que,* ou par une locution conjonctive.

 ## LES PROPOSITIONS SUBORDONNÉES SUBSTANTIVES

1 **LES PROPOSITIONS SUBORDONNÉES COMPLÉTIVES, INTRODUITES PAR QUE.**
Elles se rattachent directement au verbe de la proposition principale, par rapport auquel elles exercent, soit la fonction de sujet, soit la fonction d'attribut du sujet, soit la fonction de complément d'objet :

a) **Sujet :** Que le train soit en retard *m'étonnerait beaucoup.*

b) **Attribut du sujet :** *L'extraordinaire est* qu'il soit sorti vivant de cet accident.

c) **Complément d'objet :** *Je savais bien* que vous reviendriez à de meilleurs sentiments.

Les propositions subordonnées complément d'objet se rencontrent en particulier *après les verbes déclaratifs* (*dire, affirmer,* etc.), les *verbes d'opinion* (*penser, croire*), et les *verbes de sentiment* (*souhaiter, craindre, espérer,* etc.). Leur verbe est tantôt à l'indicatif (après les verbes déclaratifs, les verbes d'opinion en tournure affirmative, et un grand nombre de verbes de sentiment), tantôt au subjonctif (après certains verbes d'opinion en tournure négative ou interrogative, et après certains verbes de sentiment).
Je crois qu'il reviendra bientôt.
Je ne crois pas qu'il revienne bientôt.
J'espère qu'il reviendra bientôt.
Je souhaite qu'il revienne bientôt.

d) **Complément de nom** : *L'espoir* qu'il reviendrait bientôt *la soutenait.*

e) **Complément d'adjectif** : *Vous êtes digne* que nous nous intéressions à vous.

2 LES PROPOSITIONS SUBORDONNÉES INTERROGATIVES INDIRECTES

La proposition subordonnée interrogative indirecte est la réduction d'une phrase simple interrogative (totale ou partielle) au rôle de subordonnée, exerçant la fonction de ***complément d'objet*** par rapport au verbe de la proposition principale.

Je me demande

Qui a frappé? →	ou	qui a frappé.
(interr. directe)	*Je voudrais bien savoir*	(interr. indirecte)

Je voudrais bien savoir |... quoi?| qui a frappé (= l'identité de celui qui a frappé).

a) ***L'interrogation totale indirecte*** s'exprime à l'aide de l'adverbe interrogatif *si*, qui exclut l'inversion du sujet et l'emploi de ***est-ce que*** :

Êtes-vous satisfait?

ou → *Je vous demande* si vous êtes satisfait.

Est-ce que vous êtes satisfait? (interr. indirecte)
(interr. directe)

b) ***L'interrogation partielle indirecte*** s'exprime, comme dans l'interrogation directe, à l'aide des pronoms, adjectifs et adverbes interrogatifs (***pourquoi, comment, combien,*** etc.) :

Dites-moi par quel moyen vous comptez vous tirer de cette difficulté.

Elle exclut également l'inversion du sujet et l'emploi de la tournure ***est-ce que.***

3 IL EXISTE DES SUBORDONNÉES RELATIVES SUBSTANTIVES. Ce sont les relatives sans antécédent exprimé :

Qui vivra *verra.*
Je le dirai à quiconque voudra m'entendre.
Où le père a passé, *passera bien l'enfant.*

B LES PROPOSITIONS SUBORDONNÉES ADJEC-TIVES (RELATIVES AVEC ANTÉCÉDENT)

Elles se confondent avec les propositions relatives dont l'anté-cédent est exprimé dans la proposition principale.

Dans une proposition relative, le pronom relatif est à la fois un mot de relation (il introduit une subordonnée et la relie à la principale) et un pronom (il représente un mot de la propo-sition principale, et il exerce une fonction grammaticale par rapport au verbe de la subordonnée). L'ensemble de la propo-sition joue le rôle d'un complément de nom par rapport à l'an-técédent du relatif.

Je te présente l'ami à qui j'ai demandé conseil.

Qui a pour antécédent ***l'ami***, dont la proposition relative est le complément. Mais d'autre part, ***qui*** est complément d'objet indirect du verbe ***demander***.

On distingue, pour le sens, deux sortes de propositions rela-tives. Cette distinction peut avoir des conséquences sur le mode de la proposition relative :

1 LES RELATIVES DÉTERMINATIVES. Elles restreignent le sens de l'antécédent, en lui ajoutant une caractéristique indispensable et qui fait partie de sa définition :

La foi qui n'agit pas *n'est pas une foi sincère.*

On peut trouver des relatives déterminatives au subjonctif, lorsque la caractéristique qu'elles expriment n'est pas réelle, mais seulement imaginée ou souhaitée :

Je cherche une maison qui ait un jardin et une piscine.

2 LES RELATIVES EXPLICATIVES. Elles ajoutent à l'an-técédent un détail ou une explication non indispensable à sa définition :

L'autobus, au volant duquel le chauffeur s'était endormi, *quitta la route et alla se jeter contre un arbre.*

C LES PROPOSITIONS SUBORDONNÉES ADVER-BIALES OU CIRCONSTANCIELLES

1 LES PROPOSITIONS SUBORDONNÉES CIRCONSTAN-CIELLES DE TEMPS (temporelles) :
Elles indiquent le moment où a lieu l'action de la proposition principale et exercent par rapport au verbe de cette dernière la fonction de *complément circonstanciel de temps*.

a) **La subordonnée temporelle d'antériorité** est introduite par *avant que*, et construite avec le subjonctif. Elle indique que l'*action de la principale est antérieure* à celle de la subordonnée.
   Plusieurs élèves sont partis en vacances avant que les cours aient pris fin.

En attendant que et *jusqu'à ce que* indiquent aussi l'antériorité de l'action principale (qui dure jusqu'à ce qu'intervienne l'action exprimée dans la subordonnée), et exigent, comme *avant que*, le subjonctif.
   La bataille s'est poursuivie jusqu'à ce que les combattants aient épuisé leurs munitions.

   Travaillons en attendant qu'il arrive.

b) **La subordonnée temporelle de postériorité** est introduite par *après que*, ou par *depuis que*, et construite avec l'indicatif. Elle indique que l'*action de la principale est postérieure* à celle de la subordonnée.
   Après que l'orateur eut cessé de parler, *des applaudissements nombreux éclatèrent.*
   Depuis que Jean a passé huit jours à New-York, *il se prend pour un grand connaisseur des États-Unis.*

La postériorité immédiate est indiquée par *dès que*, *aussitôt que*, *du jour où*, *à présent que*, *maintenant que*, qui exigent également l'indicatif.

c) **La subordonnée temporelle de simultanéité** est introduite par *pendant que, tandis que, comme, alors que, à mesure que, toutes les fois que, chaque fois que* (répétition) et construite avec l'indicatif. Elle indique que *l'action principale et l'action subordonnée se déroulent en même temps.*
   Pendant que son père s'affairait à la cuisine, *François mettait le couvert.*

Deux conjonctions de subordination temporelle sont très fréquemment employées : *lorsque* (langage soutenu) et *quand* (langage courant). Elles peuvent indiquer, selon le contexte, soit l'antériorité, soit la postériorité, soit la simultanéité de l'action principale par rapport à l'action de la subordonnée. Elles se construisent avec l'indicatif.

2 **LES PROPOSITIONS SUBORDONNÉES CIRCONSTANCIELLES DE CAUSE** (causales).

Elles indiquent la cause de l'action principale, et exercent par rapport au verbe de la proposition principale la fonction de *complément circonstanciel de cause.*

a) **La subordonnée de cause introduite par la locution conjonctive *parce que* exige** l'indicatif. Elle constate simplement la cause.

L'avion s'est envolé en retard, parce que le brouillard gênait le décollage.

Autres conjonctions ou locutions conjonctives de même valeur : *pour la raison que, comme.*

b) **La subordonnée de cause introduite par *puisque* exige** également l'indicatif. Elle présente la cause comme évidente, incontestable, par une sorte de raisonnement sous-entendu appliquant une loi générale à un cas particulier.

L'avion ne pouvait pas décoller, puisque le brouillard avait envahi la piste.

[Lorsque le brouillard envahit la piste, les avions ne décollent pas.

Or, ce jour-là, le brouillard avait envahi la piste.

Donc, l'avion ne pouvait pas décoller.]

Autres conjonctions ou locutions conjonctives de même valeur : *étant donné que, vu que, du moment que, dès lors que.*

c) **La subordonnée de cause introduite par *sous prétexte que*** (suivi de l'indicatif) présente la cause comme affirmée, alléguée par un autre, et trop peu sûre pour que celui qui parle la reprenne à son compte.

Il a refusé mon invitation à dîner, sous prétexte qu'il avait trop de travail.

3 LES PROPOSITIONS SUBORDONNÉES CIRCONSTAN-
CIELLES DE BUT (finales).

Elles indiquent le but de l'action principale et exercent par
rapport au verbe de la proposition principale la fonction de
complément circonstanciel de but.

Elles sont introduites par les locutions conjonctives *pour que*
(langage courant) et *afin que* (langage soutenu). Elles se
construisent avec le *subjonctif.*

> *Pose une pierre sur ton veston,* pour qu'il ne s'envole pas.

Lorsque le sujet de la principale est le même que celui de la
subordonnée, on emploie plutôt *pour* et *afin de* suivis de
l'infinitif.

> *Jacques a allumé la télévision,* pour écouter le reportage du
> match.

4 LES PROPOSITIONS SUBORDONNÉES CIRCONSTAN-
CIELLES DE CONSÉQUENCE (consécutives).

Elles indiquent la conséquence de l'action principale et
exercent par rapport au verbe de la proposition principale la
fonction de *complément circonstanciel de conséquence.*

a) **Introduites par** *de sorte que, de telle sorte que, de telle façon
que,* elles marquent la conséquence réelle, pure et simple, avec
l'indicatif, et la conséquence souhaitée ou imaginée avec le
subjonctif (idée de but mêlée à l'idée de conséquence).

> *Il a sauté maladroitement,* de telle sorte qu'il s'est cassé la
> jambe.
>
> *Donnez-nous une place aux premiers rangs,* de sorte que nous
> puissions voir de près les comédiens.

b) **Introduites par** *si... que, si bien... que, tellement... que, au point
que, à tel point... que, tant et si bien... que,* et construites avec
l'indicatif, elles marquent une conséquence résultant du haut
degré d'intensité de l'action ou de l'état exprimés dans la principale.

> *Il a les nerfs* à tel point *fatigués* qu'il en perd le sommeil.
>
> *Pierre a* si bien *travaillé cette année* qu'il a obtenu le prix
> d'excellence.

5 **LES PROPOSITIONS SUBORDONNÉES DE CONCESSION** (concessives).

a) **Introduites par** *bien que, quoique, encore que, quelque... que,* qui exigent le subjonctif, elles indiquent une opposition entre l'action qu'elles expriment et l'action exprimée dans la principale et exercent la fonction de *complément circonstanciel de concession*.

Bien qu'il soit riche, *il n'est pas heureux.*

[= Il est très riche. Cependant, il n'est pas heureux.]

Quelque riche qu'il soit, *il n'atteint pas cependant à la fortune des grands princes d'autrefois.*

Tout... que exprime la même valeur, mais est suivi de l'indicatif.

Tout riche qu'il est...

b) **Introduites par** *au lieu que, bien loin que,* qui exigent également le subjonctif, elles indiquent que le fait qu'elles expriment ne s'est pas produit, contrairement à l'attente.

Bien loin que les voyages lui aient apporté la fortune, *il est rentré dans son pays, appauvri et découragé.*

c) **Introduites par** *sauf que, excepté que, hormis que,* suivis de l'indicatif, *pour autant que,* suivi du subjonctif, elles expriment une restriction par rapport à l'action principale.

Nous avons eu un très beau mois d'août, sauf que vers le milieu du mois il y a eu deux ou trois orages.

Je suis tout à fait d'accord avec vous, pour autant que j'aie bien compris vos paroles.

6 **LES PROPOSITIONS SUBORDONNÉES CIRCONSTANCIELLES DE CONDITION OU D'HYPOTHÈSE** (hypothétiques).

Elles indiquent un fait dont dépend la réalisation de l'action principale. Il en existe plusieurs types, les uns avec l'indicatif (présent-passé composé, ou imparfait-plus-que-parfait, ou conditionnel), les autres avec le subjonctif.

a) **La subordonnée de condition peut être introduite par la conjonction** *si,* **suivie du présent ou du passé composé de l'indicatif** et en corrélation avec un verbe principal à un temps autre que le « conditionnel ».

Si nous partons vendredi soir, *nous rencontrerons moins de voitures sur la route.*

b) **Elle peut être introduite par la conjonction** *si,* **suivie de l'imparfait ou du plus-que-parfait de l'indicatif,** en corrélation avec un
verbe principal au conditionnel (forme en *-rais*) :

> Si nous partions vendredi soir, *nous rencontrerions moins
> de voitures sur la route.*
>
> Si nous étions partis vendredi soir, *nous aurions rencontré
> moins de voitures sur la route.*

L'emploi de *même si* ajoute à la condition ou à l'hypothèse une
idée d'opposition :

> Même s'il me faisait des excuses, *je refuserais de lui
> pardonner.*

c) **Elle peut être introduite par** *au cas où, dans le cas où, quand,
quand même, quand bien même, alors même que,* **suivis du conditionnel.**
Au cas où, dans le cas où ont alors la même valeur que *si* suivi
de l'imparfait de l'indicatif.
Quand, quand même, etc., ajoutent à la condition une idée
d'opposition (même valeur que *même si*) :

> Quand bien même il me ferait des excuses, *je refuserais de
> lui pardonner.*

d) **Elle peut être introduite par** *à condition que, à supposer que, en
admettant que, pourvu que, pour peu que, à moins que, soit que...
soit que,* **suivis du subjonctif :**

> Pour peu que l'on explique les mécanismes de la langue,
> *la grammaire cesse d'être une discipline ennuyeuse.*

7 **LES PROPOSITIONS SUBORDONNÉES CIRCONSTAN-
CIELLES DE COMPARAISON** (comparatives).
Elles indiquent une comparaison (en identité, ou en intensité)
entre le fait exprimé dans la principale et le fait exprimé par la
subordonnée.

a) **Les subordonnées de comparaison introduites par les conjonctions ou locutions conjonctives** *comme, ainsi que, de même que,
tel... que, de même... que,* indiquent que la nature des deux faits
est identique ou analogue (comparaison en identité) :

> *L'apprenti travaille* comme son patron lui a enseigné à tra-
> vailler.
>
> *Mon père partit ce matin-là à huit heures,* ainsi qu'il le faisait
> depuis vingt ans.

Il existe un type de subordonnée qui exprime en même temps la comparaison et la condition. C'est la subordonnée introduite par **comme si.**

Il courait comme s'il avait eu des bandits à ses trousses.

b) **Les subordonnées de comparaison introduites par** *autant... que, aussi... que, plus... que, moins... que, d'autant plus... que, d'autant moins... que,* placent la comparaison sur le plan de la quantité ou de l'intensité.

Vous avez payé cette marchandise plus *chère* qu'elle ne vaut.

Le courage est d'autant plus *rare* qu'il est plus désintéressé.

TABLEAUX DE CONJUGAISON

On trouvera ci-après les tableaux de conjugaison détaillés des auxiliaires *être* et *avoir*, d'un verbe modèle du 1er groupe (*aimer*), d'un verbe modèle du 2e groupe (*finir*), et des principaux verbes du 3e groupe.

Ces tableaux complètent, de manière commode, les indications données ci-dessus dans les pages 53 à 85.

Pour chacune des séries qui constituent le 3e groupe (verbes en *-ir*, en *-oir* et en *-re*), les verbes sont classés *dans l'ordre alphabétique*, avec renvoi des verbes dérivés aux verbes simples correspondants (ex. : *surprendre* V. *prendre*). Nous donnons, à l'indicatif présent, la 1re et la 3e personne du singulier et du pluriel, et, pour les autres temps simples, la 1re personne du singulier, à partir de laquelle on peut trouver aisément toutes les autres personnes, par changement de terminaisons. Il en est de même pour les autres modes de l'indicatif.

On trouvera aussi aisément tous les temps composés à partir de la forme de passé composé de l'indicatif, dont nous donnons la forme de 1re personne du singulier. Ex. sur *j'ai su* : *j'avais su, j'aurai su, j'aurais su, j'eus su, que j'aie su, que j'eusse su, aie su, ayant su, en ayant su, avoir su.*

125

I - LE VERBE *ÊTRE*

Modes	Temps simples		Temps composés	
IN-DI-CA-TIF	*Présent* je suis tu es il elle } est nous sommes vous êtes ils elles } sont	*Futur* je serai tu seras il elle } sera nous serons vous serez ils elles } seront	*Passé composé* j'ai été tu as été il elle } a été nous avons été vous avez été ils elles } ont été	*Futur antérieur* j'aurai été tu auras été il elle } aura été nous aurons été vous aurez été ils elles } auront été
	Imparfait j'étais tu étais il elle } était nous étions vous étiez ils elles } étaient	*Conditionnel simple* je serais tu serais il elle } serait nous serions vous seriez ils elles } seraient	*Plus-que-parfait* j'avais été tu avais été il elle } avait été nous avions été vous aviez été ils elles } avaient été	*Conditionnel composé* j'aurais été tu aurais été il elle } aurait été nous aurions été vous auriez été ils elles } auraient été
	Passé simple je fus tu fus il elle } fut	nous fûmes vous fûtes ils elles } furent	*Passé antérieur* j'eus été tu eus été il elle } eut été	nous eûmes été vous eûtes été ils elles } eurent été
SUB-JONC-TIF	*Présent* que je sois que tu sois qu'il soit	que nous soyons que vous soyez qu'ils soient	*Passé* que j'aie été que tu aies été qu'il ait été	que nous ayons été que vous ayez été qu'ils aient été
	Imparfait que je fusse que tu fusses qu'il fût	que nous fussions que vous fussiez qu'ils fussent	*Plus-que-parfait* que j'eusse été que tu eusses été qu'il eût été	que nous eussions été que vous eussiez été qu'ils eussent été
IMPÉ-RATIF	*Présent* sois, soyons, soyez		*Passé* aie été, ayons été, ayez été	
PAR-TICIPE	*Présent* étant		*Passé* ayant été	été
GÉ-RON-DIF	*Présent* en étant		*Passé* en ayant été	
INFI-NITIF	*Présent* être		*Passé* avoir été	

II - LE VERBE *AVOIR*

Modes	Temps simples		Temps composés	
IN-DI-CA-TIF	*Présent* j'ai tu as il ⎫ elle ⎭ a nous avons vous avez ils ⎫ elles ⎭ ont	*Futur* j'aurai tu auras il ⎫ elle ⎭ aura nous aurons vous aurez ils ⎫ elles ⎭ auront	*Passé composé* j'ai eu tu as eu il a eu (¹) nous avons eu vous avez eu ils ont eu	*Futur antérieur* j'aurai eu tu auras eu il aura eu nous aurons eu vous aurez eu ils auront eu
	Imparfait j'avais tu avais il avait nous avions vous aviez ils avaient	*Conditionnel simple* j'aurais tu aurais il aurait nous aurions vous auriez ils auraient	*Plus-que-parfait* j'avais eu tu avais eu il avait eu nous avions eu vous aviez eu ils avaient eu	*Conditionnel composé* j'aurais eu tu aurais eu il aurait eu nous aurions eu vous auriez eu ils auraient eu
	Passé simple j'eus nous eûmes tu eus vous eûtes il eut ils eurent		*Passé antérieur* (peu usité) j'eus eu nous eûmes eu tu eus eu vous eûtes eu il eut eu ils eurent eu	
SUB-JONC-TIF	*Présent* que j'aie que nous ayons que tu aies que vous ayez qu'il ait qu'ils aient		*Passé* que j'aie eu que nous ayons eu que tu aies eu que vous ayez eu qu'il ait eu qu'ils aient eu	
	Imparfait que j'eusse que nous eussions que tu eusses que vous eussiez qu'il eût qu'ils eussent		*Plus-que-parfait* (peu usité) que j'eusse eu que nous eussions eu que tu eusses eu que vous eussiez eu qu'il eût eu qu'ils eussent eu	
IMPÉ-RATIF	*Présent* aie, ayons, ayez		*Passé* aie eu, ayons eu, ayez eu	
PAR-TICIPE	*Présent* ayant		*Passé* ayant eu	
GÉ-RON-DIF	*Présent* en ayant		*Passé* en ayant eu	
INFI-NITIF	*Présent* avoir		*Passé* avoir eu	

(¹) A partir d'ici, nous n'imprimons que la forme de masculin du pronom, mais il va de soi que l'alternative *il/elle* subsiste à tous les temps de tous les modes personnels.

I - VERBES DU 1er GROUPE - Ex : *AIMER*
(Infinitif en *-er* - présent en *-e*)

Modes	Temps simples		Temps composés	
INDICATIF	*Présent* j'aime tu aimes il elle } aime nous aimons vous aimez ils elles } aiment	*Futur* j'aimerai tu aimeras il aimera nous aimerons vous aimerez ils aimeront	*Passé composé* j'ai aimé tu as aimé il elle } a aimé nous avons aimé vous avez aimé ils elles } ont aimé	*Futur antérieur* j'aurai aimé tu auras aimé il aura aimé nous aurons aimé vous aurez aimé ils auront aimé
	Imparfait j'aimais tu aimais il aimait nous aimions vous aimiez ils aimaient	*Conditionnel simple* j'aimerais tu aimerais il aimerait nous aimerions vous aimeriez ils aimeraient	*Plus-que-parfait* j'avais aimé tu avais aimé il avait aimé nous avions aimé vous aviez aimé ils avaient aimé	*Conditionnel composé* j'aurais aimé tu aurais aimé il aurait aimé nous aurions aimé vous auriez aimé ils auraient aimé
	Passé simple j'aimai tu aimas il aima	nous aimâmes vous aimâtes ils aimèrent	*Passé antérieur* j'eus aimé tu eus aimé il eut aimé	nous eûmes aimé vous eûtes aimé ils eurent aimé
SUBJONCTIF	*Présent* que j'aime que tu aimes qu'il aime	que nous aimions que vous aimiez qu'ils aiment	*Passé* que j'ai aimé que tu aies aimé qu'il ait aimé	que nous ayons aimé que vous ayez aimé qu'ils aient aimé
	Imparfait que j'aimasse que tu aimasses qu'il aimât	que nous aimassions que vous aimassiez qu'ils aimassent	*Plus-que-parfait* que j'eusse aimé que tu eusses aimé qu'il eût aimé	que nous eussions aimé que vous eussiez aimé qu'ils eussent aimé
IMPÉRATIF	*Présent* aime, aimons, aimez		*Passé* aie aimé, ayons aimé, ayez aimé	
PARTICIPE	*Présent* aimant		*Passé* ayant aimé	
GÉRONDIF	*Présent* en aimant		*Passé* en ayant aimé	
INFINITIF	*Présent* aimer		*Passé* avoir aimé	

(1) Pour la conjugaison du passif, voir p. 49, pour celle des verbes pronominaux, voir p. 51. Pour *aller*, voir pp. 53, 60 et 74.

II - VERBES DU 2ᵉ GROUPE - Ex : *FINIR*

(Infinitif en *-ir* - présent en *-it*)   (Participe présent en *-issant*)

Modes	Temps simples		Temps composés	
IN-DI-CA-TIF	*Présent* je finis tu finis il elle } finit nous finissons vous finissez ils elles } finissent	*Futur* je finirai tu finiras il finira nous finirons vous finirez ils finiront	*Passé composé* j'ai fini tu as fini il elle } a fini nous avons fini vous avez fini ils elles } ont fini	*Futur antérieur* j'aurai fini tu auras fini il aura fini nous aurons fini vous aurez fini ils auront fini
	Imparfait je finissais tu finissais il finissait nous finissions vous finissiez ils finissaient	*Conditionnel simple* je finirais tu finirais il finirait nous finirions vous finiriez ils finiraient	*Plus-que-parfait* j'avais fini tu avais fini il avait fini nous avions fini vous aviez fini ils avaient fini	*Conditionnel composé* j'aurais fini tu aurais fini il aurait fini nous aurions fini vous auriez fini ils auraient fini
	Passé simple je finis tu finis il finit	nous finîmes vous finîtes ils finirent	*Passé antérieur* j'eus fini tu eus fini il eut fini	nous eûmes fini vous eûtes fini ils eurent fini
SUB-JONC-TIF	*Présent* que je finisse que tu finisses qu'il finisse	que nous finissions que vous finissiez qu'ils finissent	*Passé* que j'aie fini que tu aies fini qu'il ait fini	que nous ayons fini que vous ayez fini qu'ils aient fini
	Imparfait que je finisse que tu finisses qu'il finît	que nous finissions que vous finissiez qu'ils finissent	*Plus-que-parfait* que j'eusse fini que tu eusses fini qu'il eût fini	que nous eussions fini que vous eussiez fini qu'ils eussent fini
IMPÉ-RATIF	*Présent* finis, finissons, finissez		*Passé* aie fini, ayons fini, ayez fini	
GÉ-RON-DIF	*Présent* en finissant		*Passé* en ayant fini	
INFI-NITIF	*Présent* finir		*Passé* avoir fini	

129

III VERBES DU 3e GROUPE EN *-IR*	INDICATIF		
	Présent	Futur	
		Imparfait	Conditionnel
acquérir (et *conquérir*, *s'enquérir*)	j'acquiers il acquiert nous acquérons ils acquièrent	j'acquerrai	
			j'acquerrais
assaillir (et *tressaillir*, *défaillir*)	j'assaille il assaille nous assaillons ils assaillent	j'assaillirai	
		j'assaillais	j'assaillirais
bouillir	je bous il bout nous bouillons ils bouillent	je bouillirai	
		je bouillais	je bouillirais
courir (et *accourir*, *concourir*, *discourir*, *encourir*, *parcourir*)	je cours il court nous courons ils courent	je courrai	
		je courais	je courrais
couvrir (et *découvrir*, *recouvrir*)	je couvre il couvre nous couvrons ils couvrent	je couvrirai	
			je couvrirais
cueillir (et *accueillir*)	je cueille il cueille nous cueillons ils cueillent	je cueillerai	
		je cueillais	je cueillerais

INDICATIF	SUBJONCTIF	IMPÉRATIF	PARTICIPE
Passé composé / Passé simple	Présent / Imparfait	Présent	Présent / Passé
j'ai acquis … j'acquis	que j'acquière … que j'acquisse	acquiers acquérons	acquérant … acquis
j'ai assailli … j'assaillis	que j'assaille … que j'aissaillisse	assaille assaillons	assaillant … assailli
j'ai bouilli … je bouillis	que je bouille … que je bouillisse	bous bouillons	bouillant … bouilli
j'ai couru … je courus	que je coure … que je courusse	cours courons	courant … couru
j'ai couvert … je couvris	que je couvre … que je couvrisse	couvre couvrons	couvrant … couvert
j'ai cueilli … je cueillis	que je cueille … que je cueillisse	cueille cueillons	cueillant … cueilli

VERBES EN -IR (suite)	INDICATIF	
	Présent / Imparfait	Futur / Conditionnel
défaillir, V. assaillir		
dormir (et endormir)	je dors il dort nous dormons ils dorment je dormais	je dormirai je dormirais
s'enquérir, V. acquérir		
faillir	Inus.	je faillirai je faillirais
gésir	je gis il gît nous gisons ils gisent je gisais	Inus. Inus.
mentir (et démentir)	je mens il ment nous mentons ils mentent je mentais	je mentirai je mentirais
mourir	je meurs il meurt nous mourons ils meurent je mourais	je mourrai je mourrais
offrir	j'offre il offre nous offrons ils offrent j'offrais	j'offrirai j'offrirais

INDICATIF	SUBJONCTIF	IMPÉRATIF	PARTICIPE
Passé composé / Passé simple	Présent / Imparfait	Présent	Présent / Passé
j'ai dormi / je dormis	que je dorme / que je dormisse	dors dormons	dormant / dormi
j'ai failli / je faillis	Inus. / Inus.	Inus.	Inus. / failli
Inus. / Inus	que je gise / Inus	Inus	gisant / Inus
j'ai menti / je mentis	que je mente / que je mentisse	mens mentons	mentant / menti
je suis mort / je mourus	que je meure / que je mourusse	meurs mourons	mourant / mort
j'ai offert / j'offris	que j'offre / que j'offrisse	offre offrons	offrant / offert

133

VERBES EN -IR (suite)	INDICATIF			
	Présent	Imparfait	Futur	Conditionnel
ouvrir, V. *couvrir* partir, V. *dormir* se repentir, V. *dormir* sentir, ressentir, V. *dormir* servir, desservir, resservir, V. *dormir* sortir, V. *dormir* souffrir, V. *couvrir*				
tenir (et *appartenir, contenir, détenir entretenir, maintenir, obtenir, détenir, soutenir*)	je tiens il tient nous tenons ils tiennent	je tenais	je tiendrai	je tiendrais
venir (et *convenir, parvenir, prévenir, provenir, revenir, survenir, se souvenir*)	je viens il vient nous venons ils viennent	je venais	je viendrai	je viendrais
vêtir (et *dévêtir, revêtir*)	je vêts il vêt nous vêtons ils vêtent	je vêtais	je vêtirai	je vêtirais

INDICATIF		SUBJONCTIF		IMPÉRATIF	PARTICIPE	
Passé composé		Présent			Présent	
	Passé simple		Imparfait	Présent		Passé
j'ai tenu		que je tienne		tiens tenons	tenant	
	je tins		que je tinsse			tenu
je suis venu		que je vienne		viens venons	venant	
	je vins		que je vinsse			venu
j'ai vêtu		que je vête		vêts vêtons	vêtant	
	je vêtis		que je vêtisse			vêtu

135

VERBES EN -OIR	INDICATIF	
	Présent / Imparfait	Futur / Conditionnel
apercevoir (et *concevoir*, *décevoir*, *percevoir*, *recevoir*)	j'aperçois il aperçoit nous apercevons ils aperçoivent j'apercevais	j'apercevrai j'apercevrais
asseoir (et *se rasseoir*)	j'assieds il assied nous asseyons ils asseyent *ou* j'assois il assoit nous assoyons ils assoient j'asseyais *ou* j'assoyais	j'assiérai *ou* j'asseyerai j'assiérais *ou* j'asseyerais

choir	je chois
	il choit
	plur. inus.
	
	Inus.
		je cnoirai
		ou
		je cherrai je choirais
		  ou
		  je cherrais

concevoir, V. *apercevoir* *décevoir*, V. *apercevoir*		
devoir	je dois il doit nous devons ils doivent je devais	je devrai je devrais
échoir (impersonnel)	il échoit *Inus.*	il écherra il écherrait
émouvoir (et *promouvoir*, *mouvoir*)	j'émeus il émeut nous émouvons ils émeuvent j'émouvais	j'émouvrai j'émouvrais

INDICATIF	SUBJONCTIF	IMPÉRATIF	PARTICIPE
Passé composé / Passé simple	Présent / Imparfait	Présent	Présent / Passé
j'ai aperçu ⟋ j'aperçus	que j'aperçoive ⟋ que j'aperçusse	aperçois aperçevons	apercevant ⟋ aperçu
j'ai assis ⟋ j'assis	que j'asseye *ou* que j'assoie ⟋ que j'assisse	assieds asseyons *ou* assois assoyons	asseyant *ou* assoyant ⟋ assis
j'ai chu ⟋ je chus	*Inus.*	*Inus.*	*Inus.* ⟋ chu
j'ai dû ⟋ je dus	que je doive ⟋ que je dusse	dois devons	devant ⟋ dû
il a échu ⟋ il échut	qu'il échoie ⟋ qu'il échût	*Inus.*	échéant ⟋ échu
j'ai ému ⟋ j'émus	que j'émeuve ⟋ que j'émusse	émeus émouvons	émouvant ⟋ ému (mais, sur mouvoir, *mû*, avec l'accent circonflexe)

VERBES EN -OIR (suite)	INDICATIF		
	Présent / Imparfait		Futur / Conditionnel
falloir (impersonnel)	il faut		il faudra
		il fallait	il faudrait
mouvoir, V. *émouvoir*			
percevoir, V. *apercevoir*			
pleuvoir (impersonnel)	il pleut		il pleuvra
		il pleuvait	il pleuvrait
pouvoir	je peux il peut nous pouvons ils peuvent		je pourrai
		je pouvais	je pourrais
pourvoir (et *prévoir*)	je pourvois il pourvoit nous pourvoyons ils pourvoient		je pourvoirai
		je pourvoyais	je pourvoirais
prévoir, V. *pourvoir*			
promouvoir, V. *émouvoir*			
recevoir, V. *apercevoir*			
revoir, V. *voir*			
savoir	je sais il sait nous savons ils savent		je saurai
		je savais	je saurais
surseoir	je sursois il sursoit nous sursoyons ils sursoient		je surseoirai
		je sursoyais	je surseoirais

INDICATIF		SUBJONCTIF		IMPÉRATIF	PARTICIPE	
Passé composé		Présent		Présent	Présent	
	Passé simple		Imparfait			Passé
il a fallu		qu'il faille			*Inus.*	
	il fallut		qu'il fallût			fallu
il a plu		qu'il pleuve			pleuvant	
	il plut		qu'il plût			plu
j'ai pu		que je puisse			pouvant	
	je pus		que je pusse			pu
j'ai pourvu		que je pourvoie		pourvois	pourvoyant	
				pourvoyons		
			que je pourvusse (mais que je prévisse)			
	je pourvus (mais je prévis)					pourvu
j'ai su		que je sache		sache	sachant	
				sachons		
	je sus		que je susse			su
j'ai sursis		que je sursoie		sursois	sursoyant	
				sursoyons		
	je sursis		que je sursisse			sursis

VERBES EN -OIR (suite)	INDICATIF			
	Présent	Imparfait	Futur	Conditionnel
valoir	je vaux il vaut nous valons ils valent	je valais	je vaudrai	je vaudrais
voir (et *revoir*)	je vois il voit nous voyons ils voient	je voyais	je verrai	je verrais
vouloir	je veux il veut nous voulons ils veulent	je voulais	je voudrai	je voudrais

INDICATIF	SUBJONCTIF	IMPÉRATIF	PARTICIPE
Passé composé	Présent	Présent	Présent
Passé simple	Imparfait		Passé
j'ai valu	que je vaille	*Inus.*	valant
je valus	que je valusse		valu
j'ai vu	que je voie	vois voyons	voyant
je vis	que je visse		vu
j'ai voulu	que je veuille	veuille veuillons	voulant
je voulus	que je voulusse		voulu

VERBES EN -RE	INDICATIF	
	Présent / Imparfait	Futur / Conditionnel
abattre, V. *battre*		
absoudre, V. *dissoudre*		
accroître, V. *croître*		
admettre, V. *mettre*		
apparaître, V. *paraître*		
apprendre, V. *prendre*		
astreindre, atteindre, V. *peindre*		
battre (et *abattre, combattre, débattre*)	je bats il bat nous battons je battais	je battrai je battrais
boire	je bois il boit nous buvons ils boivent je buvais	je boirai je boirais
clore	je clos tu clos il clôt *Inus.*	je clorai je clorais
comparaître, V. *paraître* *complaire*, V. *plaire* *comprendre*, V. *prendre* *compromettre*, V. *mettre*		
conclure (et *exclure, inclure*)	je conclus il conclut nous concluons je concluais	je conclurai je conclurais

142

INDICATIF	SUBJONCTIF	IMPÉRATIF	PARTICIPE
Passé composé / Passé simple	Present / Imparfait	Présent	Présent / Passé
j'ai battu / je battis	que je batte / que je battisse	bats battons	battant / battu
j'ai bu / je bus	que je boive / que je busse	bois buvons	buvant / bu
j'ai clos / Inus.	que je close / Inus.	Inus.	Inus. / clos
j'ai conclu / je conclus	que je conclue / que je conclusse	conclus concluons	concluant / conclus

VERBES EN -RE (suite)	INDICATIF	
	Présent / Imparfait	Futur / Conditionnel
conduire (et construire, cuire, déduire, détruire, enduire, instruire)	je conduis il conduit nous conduisons ils conduisent je conduisais	je conduirai je conduirais
confire (et déconfire)	je confis il confit nous confisons ils confisent je confisais	je confirai je confirais
connaître (et méconnaître, reconnaître, paraître apparaître, comparaître disparaître)	je connais il connaît nous connaissons ils connaissent je connaissais	je connaîtrai je connaîtrais
construire, V. conduire contraindre, V. craindre		
contredire, V. dire, sauf :	vous contredisez	
contrefaire, V. faire		
coudre (et découdre, recoudre)	je couds il coud nous cousons ils cousent je cousais	je coudrai je coudrais
craindre (et contraindre)	je crains il craint nous craignons ils craignent je craignais	je craindrai je craindrais

INDICATIF	SUBJONCTIF	IMPÉRATIF	PARTICIPE
Passé composé / Passé simple	Présent / Imparfait	Présent	Présent / Passé
j'ai conduit / je conduisis	que je conduise / que je conduisisse	conduis conduisons	conduisant / conduit
j'ai confi / je confis	que je confise / que je confisse	confis confisons	connsant / confit
j'ai connu / je connus	que je connaisse / que je connusse	connais connaissons	connaissant / connu
		contredisez	
j'ai cousu / je cousis	que je couse / que je cousisse	couds cousons	cousant / cousu
j'ai craint / je craignis	que je craigne / que je craignisse	crains craignons	craignant / craint

145

VERBES EN -RE (suite)	INDICATIF	
	Présent / Imparfait	Futur / Conditionnel
croire (et accroire)	je crois il croit nous croyons ils croient je croyais	je croirai je croirais
croître (et accroître, décroître)	je crois il croît nous croissons ils croissent	je croîtrai je croîtrais
cuire, V. conduire		
déconfire, V. confire découdre, V. coudre décrire, V. écrire décroître, V. croître (mais part. passé : décru, sans accent) (se) dédire, V. contredire déduire, V. conduire démettre, V. mettre dépeindre, V. peindre déplaire, V. plaire déteindre, V. peindre détruire, V. conduire		
dire	je dis nous disons je disais	je dirai je dirais
disjoindre, V. joindre disparaître, V. paraître		
dissoudre (et absoudre, résoudre)	je dissous il dissout nous dissolvons je dissolvais	je dissoudrai je dissoudrais

146

INDICATIF	SUBJONCTIF	IMPÉRATIF	PARTICIPE
Passé composé / Passé simple	Présent / Imparfait	Présent	Présent / Passé
j'ai cru / je crus	que je croie / que je crusse	crois croyons	croyant / cru
j'ai crû / je crus	que je croisse / que je crusse	crois croissons	croissant / crû
j'ai dit / je dis	que je dise / que je dise	dis disons	disant / dit
j'ai dissous	que je dissolve	dissous dissolvons	dissolvant / dissous (te)

VERBES EN -RE (suite)	INDICATIF	
	Présent / Imparfait	Futur / Conditionnel
distraire	je distrais il distrait nous distrayons je distrayais	je distrairai je distrairais
écrire (et *inscrire, souscrire*)	j'écris il écrit nous écrivons j'écrivais	j'écrirai j'écrirais
élire, V. *lire* *émettre*, V. *mettre* *empreindre*, V. *peindre* *enfreindre*, V. *peindre* *enduire*, V. *conduire* *s'entremettre*, V. *mettre* *entreprendre*, V. *prendre* *éteindre*, V. *peindre* *étreindre*, V. *peindre* *exclure*, V. *conclure* *extraire*, V. *distraire*		
faire (et *contrefaire, défaire* *refaire, surfaire*)	je fais il fait nous faisons je faisais	je ferai je ferais
feindre, V. *craindre*		
frire	je fris tu fris il frit *Inu.*	je frirai je frirais
geindre, V. *peindre* *inscrire*, V. *écrire* *instruire*, V. *conduire* *interdire*, V. *contredire*		
joindre (et *disjoindre, oindre,* *poindre*)	je joins il joint nous joignons je joignais	je joindrai je joindrais

INDICATIF	SUBJONCTIF	IMPÉRATIF	PARTICIPE
Passé composé / Passé simple	Présent / Imparfait	Présent	Présent / Passé
j'ai distrait	que je distraie	distrais distrayons	distrayant
			distrait
j'ai écrit	que j'écrive	écris écrivons	écrivant
j'écrivis	que j'écrivisse		écrit
j'ai fait	que je fasse	fais faisons	faisant
je fis	que je fisse		fait
j'ai frit	*Inus.*	fris	*Inus.*
Inus.		*Inus.*	frit
j'ai joint	que je joigne	joins joignons	joignant
je joignis	que je joignisse		joint

VERBES EN -RE (suite)	INDICATIF		
	Présent / Imparfait		Futur / Conditionnel
lire (et *élire*)	je lis il lit nous lisons je lisais		je lirai je lirais
luire (et *reluire*)	je luis il luit nous luisons je luisais		je luirai je luirais
maudire	je maudis il maudit nous maudissons je maudissais		je maudirai je maudirais
méconnaître, V. *connaître* *médire*, V. *contredire* *Se méprendre*, V. *prendre*			
mettre (et *admettre*, *commettre*, *démettre*, *émettre*, *entremettre*, *omettre*, *permettre*, *remettre*, *soumettre*)	je mets il met nous mettons je mettais		je mettrai je mettrais
moudre	je mouds il moud nous moulons vous moulez ils moulent je moulais		je moudrai je moudrais
naître	je nais nous naissons je naissais		je naîtrai je naîtrais

INDICATIF	SUBJONCTIF	IMPÉRATIF	PARTICIPE
Passé composé / Passé simple	Présent / Imparfait	Présent	Présent / Passé
j'ai lu / je lus	que je lise / que je lusse	lis lisons	lisant / lu
j'ai lui / je luisis	que je luise	luis luisons	luisant / lui
j'ai maudit / je maudis	que je maudisse / que je maudisse	maudis maudissons	maudissant / maudit
j'ai mis / je mis	que je mette / que je misse	mets mettons	mettant / mis
j'ai moulu / je moulus	que je moule / que je moulusse	mouds moulons	moulant / moulu
je suis né (e) / je naquis	que je naisse / que je naquisse	nais naissons	naissant / né

VERBES EN -RE (suite)	INDICATIF		
	Présent / Imparfait		Futur / Conditionnel
nuire	je nuis il nuit nous nuisons je nuisais		je nuirai je nuirais
omettre, V. *mettre*			
paraître, V. *connaître*			
peindre (et *astreindre atteindre, dépeindre, repeindre, empreindre, enfreindre, teindre, déteindre, éteindre*)	je peins il peint nous peignons je peignais		je peindrai je peindrais
permettre, V. *mettre*			
plaindre	je plains il plaint nous plaignons je plaignais		je plaindrai je plaindrais
plaire (et *complaire, déplaire*)	je plais il plaît nous plaisons je plaisais		je plairai je plairais
poursuivre, V. *suivre*			
prédire, V. *contredire*			
prendre (et *apprendre, comprendre, entreprendre, surprendre*)	je prends il prend nous prenons je prenais		je prendrai je prendrais
promettre, V. *mettre*			
re- Voir les verbes simples correspondants			
résoudre, V. *dissoudre*			
restreindre, V. *craindre*			

152

INDICATIF	SUBJONCTIF	IMPÉRATIF	PARTICIPE
Passé composé / Passé simple	Présent / Imparfait	Présent	Présent / Passé
j'ai nui / je nuisis	que je nuise / que je nuisisse	nuis nuisons	nuisant / nui
j'ai peint / je peignis	que je peigne / que je peignisse	peins peignons	peignant / peint
j'ai plaint / je plaignis	que je plaigne / que je plaignisse	plains plaignons	plaignant / plaint
j'ai plu / je plus	que je plaise / que je plusse	plais plaisons	plaisant / plu
j'ai pris / je pris	que je prenne / que je prisse	prends prenons	prenant / pris

VERBES EN -RE (suite)	INDICATIF		
	Présent / Imparfait	Futur / Conditionnel	
rire	je ris il rit nous rions je riais	je rirai je rirais	
satisfaire, V. *faire*			
soumettre, V. *mettre*			
souscrire, V. *écrire*			
soustraire, V. *distraire*			
suffire	je suffis il suffit nous suffisons je suffisais	je suffirai je suffirais	
suivre	je suis il suit nous suivons je suivrais	je suivrai je suivrais	
surprendre, V. *prendre*			
survivre, V. *vivre* *teindre*, V. *peindre* *traire*, V. *distraire* *transmettre*, V. *mettre*			
vaincre (et *convaincre*)	je vaincs il vainc nous vainquons je vainquais	je vaincrai je vaincrais	
vivre	je vis il vit nous vivons je vivais	je vivrai je vivrais	

INDICATIF	SUBJONCTIF	IMPÉRATIF	PARTICIPE
Passé composé / Passé simple	Présent / Imparfait	Présent	Présent / Passé
j'ai ri	que je rie	ris rions	riant
je ris	que je risse		ri
j'ai suffi	que je suffise	suffis suffisons	suffisant
je suffis	que je suffisse		suffi
j'ai suivi	que je suive	suis suivons	suivant
je suivis	que je suivisse		suivi
j'ai vaincu	que je vainque	vaincs vainquons	vainquant
je vainquis	que je vainquisse		vaincu
j'ai vécu	que je vive	vis vivons	vivant
je vécus	que je vécusse		vécu

155

TABLE DES MATIÈRES